L'HOMME AUX MAINS ROUGES
AND OTHER STORIES

Les Gens Convenables

L'HOMME AUX MAINS ROUGES

AND OTHER STORIES

By F. I. CALVERT, M.A.

DEPARTMENT OF EDUCATION, UNIVERSITY OF DURHAM ;
FORMERLY AT ACCRINGTON HIGH SCHOOL

ILLUSTRATIONS BY
E. J. GUNSON

*

LONDON
JOHN MURRAY, ALBEMARLE STREET, W.

First Edition *1954*

Made and Printed in Great Britain by Butler & Tanner Ltd., Frome and London
and Published by John Murray (Publishers) Ltd.

CONTENTS

CONTENTS

LES GENS CONVENABLES

Pierre est furieux. Aujourd'hui, il va voir son oncle à la campagne. Mais Pierre n'est pas furieux parce qu'il va voir son oncle ; au contraire, il adore aller voir son oncle. Pour aller chez son oncle, Pierre prend le train. Or, Pierre n'est pas furieux parce qu'il prend le train ; au contraire, Pierre adore prendre le train. Mais voici la difficulté : aujourd'hui, sa mère et sa tante accompagnent Pierre au train. Quand son père accompagne Pierre à la gare, tout va très bien ; son père achète des journaux illustrés et du chocolat, il installe Pierre dans un compartiment vide, les journaux et le chocolat à portée de main, puis il dit : « Au revoir, mon vieux. Amuse-toi bien,» et il s'en va. Ça, c'est très bien. Pierre a dix ans : il sait voyager seul. Mais quand sa mère et sa tante accompagnent Pierre au train, c'est une autre histoire. Elles vont certainement installer Pierre dans un compartiment avec des hommes et des femmes convenables, et elles vont certainement demander à une de ces femmes de s'occuper de Pierre pendant le voyage. C'est embarrassant pour un homme de dix ans ! D'ailleurs, c'est un si petit voyage : un quart d'heure, puis le train s'arrête au premier village ; encore vingt minutes, et on arrive au village où habite l'oncle de Pierre.

Voici donc Pierre sur le quai de la gare avec sa mère et sa tante. Oui, ça commence ! « Cherchons un compartiment avec des gens convenables, ma chère,» dit tante Louise. « Oui. Je cherche,» dit

maman. Tante Louise regarde dans un compartiment. «Voici un homme et une femme très convenables,» dit-elle, «et ils ont un petit garçon de l'âge
de Pierre.» «Ah, non, pas là,» dit maman. «Si
Pierre joue avec le petit garçon, il va se salir. Non,
pas là.» Pierre examine le compartiment prochain.
Chic alors! Il y a un chien. Pierre adore les chiens.
«Maman,» dit-il, «voici des gens très convenables.»
«Oui, en effet,» dit maman. «Mais, vous perdez
donc la raison, ma chère?» dit tante Louise. «S'il
entre là, il va être couvert de poils de chien.» «Oui,
vous avez raison,» dit maman. «Allons plus loin.»
Dans le compartiment prochain il y a un homme seul.
«Ici peut-être?» dit tante Louise. L'homme cligne
de l'œil à Pierre. Évidemment, c'est un monsieur
amusant. Mais maman dit: «Non. Je préfère aller
plus loin.» Enfin elle trouve un compartiment où
il y a un homme et une femme. Ils sont tous les deux
très petits; ils ont l'air doux et un peu timide.
«Voici,» dit maman. «Entre ici, Pierre.» Puis elle
demande à la femme de s'occuper de Pierre. «Très
volontiers, madame,» dit la femme. Elle lève les
yeux et sourit, puis elle continue à lire son journal.
L'homme lit aussi. Pierre prévoit qu'il ne va pas
trouver le voyage très intéressant.

Enfin, le train part. Pierre sourit avec patience, et
dit: «Oui, maman. Non, maman,» aux dernières
instructions de sa mère. Puis il lit son journal
illustré. Au bout d'un quart d'heure, le train s'arrête
au premier village. Pierre regarde par la portière.
Quelques voyageurs descendent et sortent de la gare.
Le mécanicien et le chauffeur descendent aussi et
parlent au chef de gare. Soudain, le train se met en
marche. Juste ciel! Le mécanicien et le chauffeur
sont toujours sur le quai. Le train marche tout seul!

Il n'y a personne dans la locomotive. Entre le premier
et le deuxième arrêt il y a une déclivité : le train sort
de la gare et prend de la vitesse. Sur le quai, le chef
de gare, le mécanicien, et le chauffeur crient et agitent
les bras. Aux portières, les voyageurs crient. Dans
le compartiment de Pierre, la femme regarde l'homme.
« Georges, » dit-elle, « tu peux peut-être faire quelque
chose ? » « Oui, Amélie, » dit-il. « Je vais essayer. »
Il enlève sa jaquette, et écarte Pierre de la portière.
Au grand étonnement de Pierre, il baisse la glace à sa
dernière limite, saisit des mains le haut de la portière,
et se hisse jusque sur le toit du compartiment.
Madame Amélie regarde Pierre et sourit. « N'ayez
pas peur, » dit-elle. « Mon mari est acrobate. Il va
s'avancer sur le toit du train jusqu'à la locomotive.
N'ayez pas peur : c'est très facile pour mon mari. »
Pierre regarde par la portière : oui, monsieur Georges
s'avance sur le toit du train. Aux portières, tous les
voyageurs regardent avec admiration. Il saute avec
précaution d'un wagon à l'autre, et bientôt il arrive à
la locomotive. Il met les freins et, peu à peu, le train
s'arrête. Tous les voyageurs descendent sur les
rails : ils aident monsieur Georges à descendre de la
locomotive ; ils battent des mains ; ils crient :
« Hourrah ! » Monsieur Georges est maintenant un
héros. Quelquefois maman choisit bien ses gens
convenables !

EXERCICES

*A. Faites des phrases avec les locutions suivantes, qui sont utiles
à apprendre par cœur :*

1. À la campagne.	In the country.
2. Au contraire.	On the contrary.
3. Chez son oncle.	To (or at) his uncle's house.

4. Tout va bien.	All is well.
5. À portée de main.	Within reach.
6. Chic alors !	Jolly good !
7. Vous avez raison.	You are right.
8. Il cligne de l'œil.	He winks.
9. Juste ciel !	Good heavens !
10. Il n'y a personne.	There is nobody.

B. Répondez aux questions :

1. Où va Pierre ?
2. Est-ce que Pierre est furieux parce qu'il prend le train ?
3. Qu'est-ce que son père achète quand il accompagne Pierre à la gare ?
4. Qui accompagne Pierre aujourd'hui ?
5. Qu'est-ce que Pierre va faire s'il joue avec le petit garçon ?
6. Qui descend au premier arrêt ?
7. Quelle est la profession de monsieur Georges ?
8. Où est-ce qu'il se hisse ?
9. Comment est-ce qu'il arrête le train ?
10. Est-ce que maman choisit bien ses gens convenables ?

C. Complétez les phrases :

1. Son père —— Pierre dans un compartiment ——.
2. Son père dit : « Au revoir, ——. —— bien.»
3. Sa mère demande à une femme de —— de Pierre.
4. Tante Louise dit que Pierre va être couvert de ——.
5. Pierre —— qu'il ne va pas trouver le voyage intéressant.
6. Pierre regarde par ——.
7. Le train marche ——.
8. Le train sort de la gare et ——.
9. Monsieur Georges —— Pierre de la portière.
10. Monsieur Georges —— d'un wagon à l'autre.

4

D. *Votre ami Pierre va voir son oncle à la campagne : décrivez
son voyage.*

(Quand est-ce qu'il va voir son oncle ? Quel train
prend-il ? Décrivez les gens dans son compartiment.
Décrivez un incident du voyage. À quelle heure arrive-
t-il ?)

MYSTÈRE CHEZ LE VOISIN

Charles et Marie sont les enfants de monsieur et de madame Dubois. Charles a douze ans ; Marie a dix ans. La famille Dubois habite un appartement de la rue du Cardinal-Lemoine à Paris.

Un jour du mois d'avril, la famille Dubois se lève de bonne heure. Monsieur Dubois quitte la maison à huit heures : il va à son bureau. Mais les enfants ne vont pas à l'école : c'est le premier jour des vacances de Pâques. Charles et Marie sont très gais : ils vont jouer aux Jardins du Luxembourg. Mais, hélas, il pleut ! Il pleut à verse. Impossible de sortir !

Quand monsieur Dubois sort, madame Dubois fait le ménage. Marie aide sa mère : elle prend un chiffon et elle essuie les meubles. Charles veut aussi aider sa mère : il fait la vaisselle. Mais il est maladroit : il laisse tomber une tasse, puis une soucoupe. Madame Dubois ne veut plus de son aide. Bientôt Marie laisse tomber un vase en porcelaine. Madame Dubois est au désespoir ! Elle envoie les enfants éplucher les légumes pour le déjeuner : on ne casse pas facilement les légumes. Mais Marie se coupe le doigt. Vraiment, les enfants n'ont pas de chance aujourd'hui !

Après le déjeuner, madame Dubois sort : elle va chez sa couturière. « Maman,» dit Marie, « est-ce que nous pouvons sortir aussi ? » Madame Dubois regarde par la fenêtre. Il pleut toujours. « Non, mes enfants,» dit-elle. « Je regrette, mais il pleut trop. Restez tranquillement à la maison. Vous avez vos livres, vos crayons, vos albums à colorier. Lisez, jouez, et soyez très sages, n'est-ce pas ? Je reviens à quatre heures et j'apporte des gâteaux et des bonbons.» Charles et Marie sont très déçus, mais ce sont des enfants sages et obéissants ; ils disent : « Très bien, maman. Au revoir, maman,» et ils restent tranquillement à la maison.

Charles lit un livre. Marie dessine dans un cahier. La pluie tombe toujours. Tout est silencieux dans l'appartement. La pendule fait tic-tac. Soudainement, les enfants entendent des cris, des gémissements. « Qu'est-ce que c'est ? » dit Marie, effrayée. « Je ne sais pas,» dit Charles. « Ça vient de l'appartement de monsieur Rémy, notre voisin, n'est-ce pas ? » En effet, ils entendent de nouveau des gémissements. Charles court au mur. « Viens ! » dit-il à Marie. « Viens ! » Marie suit. Les enfants appuient l'oreille contre le mur. Ils écoutent. Ils entendent : « Je souffre ! Je souffre horriblement ! Je meurs ! » Effrayés, les enfants se regardent. « C'est monsieur Rémy. Il est malade ! » dit Marie. « Oui. Allons chercher le concierge,» dit Charles. Vite, ils sortent de l'appartement, ils descendent l'escalier. Mais le concierge n'est pas dans sa loge. La loge est vide. Les enfants courent dans la rue. Ils regardent à droite et à gauche. Personne ! La rue est vide. Il pleut toujours. Que faire ?

Soudainement une auto paraît au tournant de la rue. Quelle chance ! C'est l'auto rouge du docteur Leblanc. Charles et Marie courent vers l'auto. Ils agitent la main. Ils crient. Le docteur arrête l'auto. « Mais qu'est-ce qu'il y a, mes enfants ? » dit-il. « Pourquoi courez-vous dans la rue, sous la pluie, sans manteau ? » « Venez vite, venez vite, monsieur le docteur,» dit Charles. « C'est monsieur Rémy. Il est malade !» «Il meurt, monsieur le docteur, il meurt !» crie Marie. Le docteur descend tout de suite de son auto. Vite, il monte l'escalier. Les enfants suivent. À la porte de l'appartement de monsieur Rémy ils entendent de nouveau : «Je souffre ! Je souffre horriblement ! Je meurs !»

Le docteur pousse la porte. Il entre. Les enfants suivent. Un homme roule par terre. Mais ce n'est pas monsieur Rémy. Monsieur Rémy est vieux : il a les cheveux gris. Cet homme est jeune : il a les cheveux bruns. «Qu'est-ce qu'il y a ?» dit le docteur. «Vous êtes malade ?» L'homme regarde le docteur. Il se lève. Il a l'air confus. Il regarde le docteur, mais il ne parle pas. «Dites,» dit le docteur, «vous êtes malade ? Oui ou non ?» «Non, non,» dit le jeune homme, très confus, «je ne suis pas malade. Je suis acteur. Je répète mon rôle.» «Mais vous n'habitez pas ici, monsieur,» dit Marie. «Non, mademoiselle,» répond le jeune homme. «Mais cette semaine je joue au Théâtre des Arts, et j'habite l'appartement de mon bon ami monsieur Rémy pendant son absence : il part en vacances aujourd'hui.» «Ah, bon !» dit le docteur, «alors, comme vous ne mourez pas, je m'en vais. Au revoir.» «Au revoir, docteur,» disent les enfants et le jeune homme. Le docteur sort. «Mes enfants,» dit le jeune homme, «voici des billets pour le théâtre, pour vous et vos parents. Venez voir la pièce ce soir.» «Oh, merci, monsieur,» disent les enfants, joyeux. Quel heureux commencement pour les vacances !

EXERCICES

A. Faites des phrases avec les locutions suivantes, qui sont utiles à apprendre par cœur :

1. Il se lève de bonne heure. He gets up early.

2. Il pleut à verse.	It is pouring with rain.
3. Elle fait le ménage.	She does the housework.
4. Elle est au désespoir.	She is in despair.
5. Il fait la vaisselle.	He washes the dishes.
6. Il n'a pas de chance.	He is unlucky.
7. Qu'est-ce que c'est ?	What is it ?
8. Que faire ?	What is to be done ?
9. Quelle chance !	What luck !
10. Je répète mon rôle.	I am rehearsing.

B. Répondez aux questions :

1. Quel âge a Charles ? Et Marie ?
2. Où habite la famille Dubois ?
3. Pourquoi est-ce que les enfants ne peuvent pas sortir ?
4. Qu'est-ce que Charles laisse tomber ?
5. Où est-ce que madame Dubois va après le déjeuner ?
6. Qu'est-ce que les enfants entendent ?
7. Qui est-ce qu'ils cherchent ?
8. Où est monsieur Rémy ?
9. Quelle est la profession de son ami ?
10. Est-ce qu'il est malade ?

C. Complétez les phrases :

1. Marie prend —— et elle essuie ——.
2. Madame Dubois envoie les enfants —— les légumes pour le déjeuner.
3. On ne casse pas —— les légumes.
4. Marie —— le doigt.
5. Charles et Marie sont des enfants ——.
6. Tout est —— dans l'appartement.
7. Les enfants —— l'oreille contre le mur.
8. Le docteur dit : « Comme vous ne —— pas, je ——.»
9. L'acteur dit : « Venez voir —— ce soir.»
10. Quel —— commencement pour —— !

D. Décrivez un événement mystérieux.

(Jean est seul à la maison : pourquoi ? Il entend un bruit mystérieux : décrivez ce bruit. Que fait-il ?)

LES BONBONS DE MADAME LEBLANC

Nous sommes cinq à table — non, six, si je compte maman — à la grande table au milieu du restaurant ; car nous sommes en vacances au bord de la mer, à Ambleteuse en Normandie. Aux repas nous mangeons ensemble à la grande table ; même ma petite sœur Marie dîne avec nous le soir. Marie a trois ans. Mes frères et mes sœurs sont : Monique, la plus âgée — Monique a douze ans — et les jumeaux, Jean et Philippe, six ans. Nous aimons beaucoup l'hôtel. Le patron, monsieur Antoine, est très amusant ; il aime les enfants. Dans la salle du restaurant il y a beaucoup de personnes, des hommes et des femmes, et d'autres enfants.

Nous jouons sur la plage ; nous nous baignons dans la mer. C'est très agréable. Et le soir, nous dînons au restaurant avec les grandes personnes. C'est très bien. Parmi les personnes au restaurant il y a deux dames très gentilles ; elles aiment beaucoup les enfants. Et c'est très amusant : la dame aux cheveux noirs s'appelle madame Lenoir, et la dame aux cheveux gris s'appelle madame Leblanc. Ce sont des dames charmantes, jolies, souriantes, bien habillées. Madame Leblanc porte toujours une jolie broche en or et en diamants ; madame Lenoir porte toujours une jolie broche en or et en perles. Maman parle à ces dames : elle présente ses enfants. Nous disons : « Bon jour, madame Lenoir ! Bon jour, madame Leblanc ! » Et quand nous sortons du restaurant après le dîner,

nous disons : « Bon soir, madame Lenoir ! Bon soir,
madame Leblanc ! À demain ! »

Madame Lenoir et madame Leblanc ont toujours
des paquets de bonbons : elles donnent souvent des
bonbons aux enfants. Aujourd'hui, quand nous
sortons du restaurant après le déjeuner, nous passons
devant la table de ces dames. Comme tous les jours,
nous disons : « Bon jour, madame Leblanc ! Bon

jour, madame Lenoir ! » « Bon jour, mes enfants ! »
disent les dames. Madame Leblanc se penche et
prend par terre son sac de plage. Elle sort de son sac
de plage un gros sac en papier rose, plein de bonbons.
« J'offre des bonbons aux enfants, » dit-elle à maman.
« Vous permettez, madame ? » « Mais oui, bien
sûr, » répond maman. « Vous êtes extrêmement gentille, madame. » Madame Leblanc offre les bonbons.
« Choisissez, mes enfants, » dit-elle. « Monique, » et

elle offre les bonbons à Monique. Monique prend un bonbon. « Marie. » Marie regarde longtemps dans le sac rose. « Marie, » dit maman, « ne regarde pas longtemps comme ça dans le sac. Ce n'est pas poli. Choisis ! » Marie choisit. « Et maintenant, les garçons, » dit madame Leblanc. Nous choisissons nos bonbons. « Merci, madame, » disons-nous. « Au revoir, madame Leblanc. Au revoir, madame Lenoir. »

L'après-midi nous allons jouer sur la plage. « Marie, » dit maman soudainement, « qu'est-ce que tu manges ? » « C'est le bonbon de madame Leblanc, » dit Marie. « Mais non ! » dit maman. « Madame Leblanc donne un bonbon à deux heures, tu mets le bonbon dans la bouche tout de suite, et maintenant tu dis que tu manges toujours ce bonbon à quatre heures. C'est impossible ! » « Si, maman, c'est le bonbon de madame Leblanc, » dit Marie. « Ouvre la bouche, » dit maman. « Montre ! » Marie ouvre la bouche. Elle tire la langue. Sur sa langue il y a une sorte de pierre. La pierre scintille. « Mais, Marie, » dit maman, « ce n'est pas un bonbon. C'est une pierre. » « Non ! Le bonbon de madame Leblanc ! » dit Marie. « Elle est impossible, cette enfant ! » dit maman. « Tu ramasses des pierres sur la plage, » dit-elle à Marie, « et tu mets les pierres dans la bouche. C'est méchant ! Donne ! » Marie donne la pierre à maman. Maman dit : « Sale pierre ! Sale ! » et elle jette la pierre sur le sable. Marie boude. Elle frappe le sable de sa petite pelle et elle murmure entre les dents : « Le bonbon de madame Leblanc. Pas une pierre ! Le bonbon de madame Leblanc. »

Bientôt nous rentrons à l'hôtel pour faire notre toilette avant le dîner. Marie boude toujours ; elle traîne sa pelle. « Viens, Marie, » dit Monique. « Fais

la course jusqu'à l'hôtel.» Elle court. Marie jette sa
pelle et son seau et court aussi. Elle rit. « C'est
mieux ! » dit maman. Cette enfant est insupportable
quand elle boude. Ramasse sa pelle et son seau,
veux-tu ? » Je ramasse la pelle et le seau.. Le seau
est plein de sable. « Dis, maman,» dis-je, « est-ce que
je peux vider le seau de Marie ? » « Non ! Non ! »
répond maman. « Ne vide pas le seau. Marie va
être furieuse si elle ne trouve pas son sable dans le seau.
Laisse le sable dans le seau.» « Bon ! » dis-je, et je
porte la pelle, le seau et le sable.. Sur la terrasse de
l'hôtel nous trouvons Monique et Marie avec madame
Leblanc et madame Lenoir. « Maman,» dit Monique,
« madame Leblanc cherche le diamant de sa broche.»
« Oui, madame,» dit madame Leblanc, et elle montre
à maman sa jolie broche en or et en diamants. Mais
maintenant il y a, au milieu, un trou vide : le grand
diamant n'est pas là. « Oh, que c'est dommage ! »
dit maman. « Nous allons chercher aussi, n'est-ce
pas, mes enfants ? » Nous cherchons partout : sur la
terrasse, dans le restaurant,. au salon, mais nous ne
trouvons pas le diamant de madame Leblanc.

Soudainement, j'ai une idée. « Maman,» dis-je,
« la pierre dans la bouche de Marie ! Tu te rappelles ? Cette pierre, c'est peut-être le diamant ! »
« Ma foi ! ce n'est pas impossible,» dit maman. Et
nous racontons à madame Leblanc et à madame
Lenoir l'histoire du bonbon de Marie. « En effet, ce
n'est pas impossible,» dit madame Leblanc, « mais je
ne vois pas très bien comment le diamant se trouve
parmi les bonbons.» « Mais si ! Je comprends,» dit
madame Lenoir. « Réfléchissez ! » dit-elle à madame
Leblanc. « Rappelez-vous la scène du déjeuner :
votre sac de plage est par terre ; vous vous penchez
pour ramasser le sac, et le diamant tombe dans le sac

de bonbons ! » Marie écoute. Elle dit : « Oui. Le joli bonbon dans le sac rose de madame Leblanc. Marie prend le joli bonbon. Mais maman dit : ‹ Pas bonbon. Pierre ! › Elle jette le bonbon. Méchante maman ! » « Hélas, c'est vrai ! » dit maman. « Alors où est la pierre ? » dit madame Leblanc. « Sur la plage,» dit maman. « Allons chercher tout de suite,» dit madame Lenoir. Nous retournons tout de suite à la plage. Mais nous ne trouvons pas le diamant. « Qu'est-ce que tu cherches, maman ? » dit Marie. « Je cherche ton bonbon, Marie,» dit maman. « Tu sais, le joli bonbon de madame Leblanc.» « Il est dans mon seau, le joli bonbon,» dit Marie. « Comment ?» dit maman. « Oui. Dans mon seau, sous le sable,» dit Marie. Maman prend Marie dans ses bras et nous courons vite à l'hôtel. Le seau de Marie est sur la terrasse, plein de sable. Marie cherche dans le sable : elle retire la main et montre — le diamant de madame Leblanc. « Joli bonbon ! » dit-elle.

Tout est bien qui finit bien, et ce soir madame Leblanc apporte cinq gros paquets de bonbons : un paquet pour chaque enfant. Nous mangeons les bonbons dans nos lits, le soir. Maman est si contente parce que madame Leblanc a son diamant qu'elle ne dit pas non.

EXERCICES

A. Faites des phrases avec les locutions suivantes, qui sont utiles à apprendre par cœur :

1. Au milieu de...	In the middle of . . .
2. Au bord de la mer.	At the seaside.
3. Une broche en or.	A gold brooch.
4. Par terre.	On the ground.
5. Vous permettez ?	May I ?
6. Mais oui, bien sûr.	Yes, of course.
7. Faire une course.	To run a race.

8. Que c'est dommage !   What a pity it is !
9. Tout est bien qui finit bien. All's well that ends well.

B.   Répondez aux questions :

1. Combien d'enfants y a-t-il dans la famille ?
2. Comment s'appellent les deux dames très gentilles ?
3. Décrivez les dames.
4. Qu'est-ce qu'elles portent toujours ?
5. Qu'est-ce qu'elles donnent souvent aux enfants ?
6. Qu'est-ce que Marie a dans la bouche ?
7. Que fait maman ?
8. Que fait Marie quand maman jette la pierre ?
9. Que cherche madame Leblanc ?
10. Où est le diamant de madame Leblanc ?

C.   Complétez les phrases :

1. Nous dînons au restaurant avec ——.
2. La dame —— s'appelle madame Lenoir, et la dame
   —— s'appelle madame Leblanc.
3. Madame Leblanc —— et prend par terre ——.
4. Elle sort un gros sac ——, —— de bonbons.
5. Maman dit : « Marie, ne regarde pas —— dans le
   sac. Ce n'est pas ——.»
6. Quand Marie ouvre la bouche, il y a sur sa —— une
   sorte de pierre. La pierre ——.
7. Maman jette la pierre, et elle dit : « —— ! »
8. Marie —— sa pelle.
9. Maman dit : « Cette enfant est —— quand elle
   boude.»
10. Je dis : « Est-ce que je peux —— le seau de Marie ? »

D.   Décrivez la journée d'une famille au bord de la mer.

(Combien d'enfants y a-t-il dans la famille ? Nommez
les enfants. Où est-ce qu'ils passent les vacances ? Que
font-ils sur la plage ? Quand est-ce qu'ils rentrent à la
maison ? Qu'est-ce qu'ils font à la maison ? À quelle
heure est-ce qu'ils se couchent ?)

15

LE RÉVEIL-MATIN

J'ai douze ans. Je m'appelle Leblanc, Pierre Leblanc. Je vais au lycée Dufour. Je suis dans la sixième classe. Mon ami Charles Picard va au lycée Dufour ; il est aussi dans la sixième classe. Tous les matins, je rencontre Charles au coin de la rue et nous allons au lycée ensemble.

Ce matin, quand j'arrive au coin de la rue, Charles n'est pas là. J'attends. Cinq minutes passent. Je regarde ma montre : nous allons être en retard. Charles est peut-être malade ? Mais non ! Enfin, voici Charles qui arrive : il court. « Mais, dis donc, mon vieux, » dis-je, « tu es en retard. » « Oui, oui, je sais, » dit Charles. « Je demande pardon. Mais dépêchons-nous ! » Nous courons vite. Je demande à Charles : « Pourquoi es-tu en retard ? » « C'est notre réveil-matin, » dit-il. « Il ne marche pas. Papa va être en retard à son bureau aussi. Mais ne parle pas. Je ne peux pas parler et courir. » Nous courons. Au prochain coin de rue, Charles ne voit pas un homme qui arrive dans l'autre direction : il se jette contre les jambes de l'homme. Il laisse tomber sa serviette, qui tombe sur les pieds de l'homme. L'homme pousse un cri de douleur. Il est furieux ! « Petit imbécile, » dit-il, « pourquoi est-ce que tu ne regardes pas où tu vas ? » « Pardon, monsieur, pardon, » dit Charles. Je ramasse sa serviette : elle est très lourde. Le pauvre homme ! Il s'en va, murmurant : « Imbécile ! Vaurien ! » Je donne la serviette à Charles. « Qu'est-ce que tu as dans ta serviette ? » dis-je. « Elle est très lourde.» « Des livres, mes devoirs,» répond Charles. « Vite, courons.» Nous courons de nouveau.

Nous arrivons à l'école au moment où les élèves entrent dans la classe. Nous ne sommes pas en retard ! Nous entrons aussi. La première leçon est la leçon d'histoire. Le professeur d'histoire est monsieur Xavier. C'est un homme terrible ! Tous les élèves ont peur de monsieur Xavier. Ce matin, il parle de Napoléon. « Picard,» dit-il soudain, « la date de la naissance de Napoléon ? » Silence. Charles, qui n'écoute pas, ne répond pas. « Picard,» dit monsieur Xavier, d'une voix de tonnerre, « dormez-vous ? » « Non, non, monsieur,» répond Charles, qui entend cette fois, « je ne dors pas.» « Alors, répondez à ma question.» « Quelle question, monsieur ? » dit Charles. Toute la classe rit. Monsieur Xavier est furieux. « Picard,» dit-il sévèrement, « encore une plaisanterie de cette sorte et je vous mets à la porte.» La leçon continue. Vers la fin de la leçon nous écrivons un exercice dans nos cahiers. Tout est silencieux dans la salle de classe. Je regarde Charles : il a les yeux fermés. Est-ce qu'il dort ? Soudain, j'entends un bruit très fort : tic-tac, tic-tac, tic-tac. Charles ouvre les yeux. La classe commence à sourire. Monsieur Xavier lève les yeux. « Quel élève est responsable de ce bruit infernal ? » dit-il. « C'est vous, Picard ? » « Mais non, monsieur,» répond Charles. « C'est peut-être une bombe, monsieur,» dit un des élèves. La classe rit. « Silence ! » dit monsieur Xavier, furieux. « D'où vient ce bruit ? » Nous écoutons mais nous n'entendons plus le tic-tac : tout est silencieux. « Assez de ces plaisanteries ! » dit monsieur Xavier. « Continuez à écrire.» Nous écrivons. Soudain, de nouveau, nous entendons : tic-tac, tic-tac. Monsieur Xavier lève les yeux. Il regarde la classe. Le tic-tac continue. Soudain, nous entendons une sonnerie affreuse. Pas l'ombre d'un doute : la sonnerie vient de la serviette de Charles. « Picard, » crie monsieur Xavier, « c'est vous qui avez cette machine infernale dans votre serviette ! » « Mais non, monsieur, » dit Charles. La classe rit. « Ne soyez pas ridicule, Picard, » dit monsieur Xavier. « C'est évident. Apportez votre serviette. » Charles apporte la serviette, d'où vient la sonnerie affreuse. « Qu'est-ce que vous avez dans cette serviette ? » demande monsieur Xavier. « Je ne sais pas, monsieur, » dit Charles. « Comment ! Vous ne savez pas ! Ne soyez pas ridicule. Ouvrez cette serviette. » Charles ouvre la serviette : dans la serviette il y a un réveil-matin qui sonne ! « Picard, » dit monsieur Xavier, d'une voix de tonnerre, « chez le proviseur ! » « Mais monsieur.... » dit Charles. « Chez le proviseur, tout de suite. Et arrêtez cette sonnerie ! » « Je ne peux pas, monsieur, » dit Charles, malheureux, « et vraiment, monsieur, je... » « Silence ! » dit monsieur Xavier. « Chez le proviseur, tout de suite ! »

À ce moment, la porte s'ouvre. Le proviseur est là — et derrière le proviseur le père de Charles. Ils entendent la sonnerie. Le proviseur sourit. Monsieur Picard sourit. « Voilà votre réveil-matin, monsieur, » dit le proviseur à monsieur Picard. « Il marche bien ! » « Oui, vraiment, » dit monsieur Picard. Le proviseur entre dans la salle de classe. Il porte une serviette à la main. « Excusez-moi, » dit-il à monsieur Xavier, « mais Picard a la serviette de son père — et aussi son réveil-matin ! Voici la serviette de Picard. » Monsieur Picard entre aussi dans la salle de classe. « Vous permettez ? » dit-il à monsieur Xavier, et il prend le réveil-matin. Il démonte le réveil-matin et la sonnerie cesse. « Voilà, » dit-il. « Maintenant nous pouvons parler. Vous voulez bien pardonner à mon fils cet incident, n'est-ce pas, monsieur Xavier ? C'est une erreur stupide, mais vous voyez la scène : le réveil-matin ne marche pas, nous nous levons très en retard, nous buvons une tasse de café à toute vitesse. « Henri, » dit ma femme, « je mets le réveil-matin dans « ta serviette : passe chez l'horloger. » « Oui, oui, » dis-je. Vite, je ramasse une serviette et je pars. Au bureau, j'ouvre la serviette et qu'est-ce que je trouve ? Les livres de mon fils ! » « Mais c'est très bien, » dit le proviseur. « Monsieur Picard arrive au bon moment. Il empêche une injustice, n'est-ce pas, monsieur Xavier ? » « Oui, en effet, » dit monsieur Xavier. « Alors, au revoir, monsieur, et merci, » dit monsieur Picard. Il prend sa serviette et le réveil-matin et il sort de la salle de classe. Le proviseur suit. Monsieur Xavier regarde Charles. Charles regarde monsieur Xavier. Enfin, monsieur Xavier sourit. Charles sourit aussi. « Alors, vous êtes innocent, Picard ? » dit monsieur Xavier. « Mais oui, mon-sieur, » dit Charles. « Comme toujours ! Allez à votre place et travaillez. » « Oui, monsieur, » dit Charles. Il va à sa place. Toute la classe travaille. Soudainement, une sonnerie ! Monsieur Xavier lève les yeux. Il regarde Picard. « Qu'est-ce que c'est ? » dit-il d'une voix furieuse. « Mais, c'est la sonnerie du téléphone dans le bureau du proviseur, monsieur, » dit Charles d'une voix douce. La classe rit.

EXERCICES

A. *Faites des phrases avec les locutions suivantes, qui sont utiles à apprendre par cœur :*

1. Tous les matins.	Every morning.
2. Au coin de la rue.	At the corner of the street.
3. Je suis en retard.	I am late.
4. Dis donc !	I say !
5. Le réveil-matin ne marche pas.	The alarm-clock is not working.
6. Je vous mets à la porte.	I turn you out of the room.
7. Ne soyez pas ridicule !	Don't be silly !
8. Comment !	What !
9. Chez le proviseur !	Go to the Headmaster !
10. À toute vitesse.	At full speed.

B. *Répondez aux questions :*

1. Dans quelle classe sont Pierre et Charles ?
2. Où est-ce que Pierre et Charles se rencontrent ?
3. Pourquoi est-ce que Charles est en retard ?
4. Quand est-ce que Pierre et Charles arrivent à l'école ?
5. Quelle est la première leçon ?
6. De quoi parle monsieur Xavier ?
7. Qu'est-ce qu'il y a dans la serviette de Charles ?
8. Qui entre avec le proviseur ?
9. Est-ce que Charles est innocent ?
10. Quelle est la deuxième sonnerie ?

C. *Complétez les phrases :*

1. Tous les matins, nous allons au lycée ——.
2. L'homme —— un cri de douleur.
3. Monsieur Xavier dit, d'une voix de —— : « Dormez-vous ?»
4. Monsieur Xavier dit : « —— de cette sorte et je vous mets à la porte.»

5. « Quel élève est ——— de ce bruit ——— ? » dit-il.

6. « ——— de ces plaisanteries,» dit monsieur Xavier.

7. Monsieur Picard ——— le réveil-matin et la sonnerie ———.

8. Vous voulez bien ——— à mon fils cet incident ?

9. Madame Picard dit : « Passe chez ———.»

10. Monsieur Picard arrive au bon moment : il ——— une injustice.

D. Vous arrivez au lycée en retard : racontez la scène.

(Comment vous appelez-vous ? À quel lycée allez-vous ? Dans quelle classe êtes-vous ? Avec qui allez-vous au lycée ? Pourquoi êtes-vous en retard ? Comment s'appelle votre professeur ? Comment est-il ? Que dit-il quand vous arrivez en retard ?)

DANS LA FOULE

C'est le quatorze juillet. Paris est en fête. Le soleil brille. Le ciel est bleu. Pierre et Jeanne Ledoux se réveillent de bonne heure. C'est le quatorze juillet ! Ce matin, ils se lèvent, ils s'habillent vite, ils entrent dans la salle à manger. « Bon jour, maman. Bon jour, papa,» disent-ils. «Bon jour, les enfants,» répondent leurs parents. « Vite, dépêchez-vous,» dit monsieur Ledoux. « Nous allons partir de bonne heure pour voir le défilé.» « Oui, oui,» disent les enfants. Ils mangent leur déjeuner et ils sont bientôt prêts à partir. « Chéri,» dit madame Ledoux, «fais bien attention, n'est-ce pas ? Ne perds pas les enfants dans la foule.» « Mais non, mais non, ma chère,» dit monsieur Ledoux. « Je ne suis pas un imbécile.» « Non, chéri,» dit madame Ledoux. « Mais fais attention, n'est-ce pas ? Je n'aime pas ces foules, tu sais. Fais bien attention.» « Oui ! Oui ! Oui ! » dit monsieur Ledoux. « Ah, les femmes ! Les femmes ! » Et il part avec les enfants.

Il y a beaucoup de personnes dans les rues. Tout le monde est très gai. Monsieur Ledoux et les enfants vont à pied aux Champs Élysées. Il y a beaucoup de personnes aux Champs Élysées. « Nous allons remonter l'avenue jusqu'au Rond-Point,» dit monsieur Ledoux. « Il y a plus de place là. Nous allons trouver de bonnes places.» Mais au Rond-Point il y a beaucoup de personnes aussi. Il n'y a plus de places au premier rang. « N'importe,» dit monsieur Ledoux. « Nous allons rester là, au deuxième rang.» Il s'installe au deuxième rang avec les enfants. Devant les enfants, il y a un monsieur et une dame assez âgés. Ils ne sont pas très grands : les enfants peuvent voir assez bien. Devant monsieur Ledoux il y a un grand monsieur. Mais heureusement monsieur Ledoux est grand aussi : il voit très bien. Le monsieur âgé se retourne et voit les enfants. « Mais, monsieur, » dit-il à monsieur Ledoux, « vos enfants ne voient pas très bien là. Ils

peuvent se mettre devant nous. » « Mais oui, » dit sa femme. « Vous permettez, monsieur ? » « Mais oui, madame, » dit monsieur Ledoux. « Et merci infiniment. Vous êtes très gentille, madame. » Jeanne et Pierre passent devant le monsieur et la dame et ils disent : « Merci, madame ; merci, monsieur. » En passant, Pierre marche sur le pied du grand monsieur qui est devant monsieur Ledoux. « Pardon, monsieur, » dit-il, poliment. « Imbécile ! Maladroit ! » dit le grand monsieur. Vraiment, il n'est pas très gentil. « Et restez tranquilles, » ajoute-t-il. « Je n'aime pas les enfants. » Quel homme désagréable ! Monsieur Ledoux est sur le point de parler à cet homme désagréable quand le défilé arrive.

La foule applaudit. Les enfants crient. Quel défilé magnifique ! Des soldats, et encore des soldats ! Des chars blindés, des jeeps, des canons, la musique militaire ! Des marins ! La garde républicaine, à cheval, avec des casques qui brillent au soleil et des crinières flottantes ! Et enfin, les spahis qui avancent au galop, l'épée à la main, le manteau au vent ! Puis il y a un bourdonnement. « Les avions ! Les avions ! » crie Jeanne. La foule lève la tête et regarde les avions qui passent dans le ciel, de petits avions en argent sur le ciel bleu. Pierre regarde attentivement, très attentivement : il veut distinguer les avions qui passent. Est-ce que ce sont des avions de combat ? Il regarde si attentivement qu'il a mal aux yeux. Il baisse la tête ; il ferme les yeux. Puis il ouvre les yeux et tourne la tête vers la foule pour éviter la lumière. Mais qu'est-ce qu'il voit ? L'homme désagréable a la main dans la poche du monsieur âgé. Ce n'est pas possible ! Mais si ! Maintenant, il retire la main, il se retourne et il s'en va vite à travers la foule. Les personnes autour de lui ne font pas attention : ils regardent en l'air. Pierre est étonné. Que faire ? Suivre cet homme ? Oui, c'est ça : il va suivre l'homme et il va amener Jeanne qui peut revenir et dire où il est. Oui, c'est ça. Il tire la manche de Jeanne. « Viens ! » dit-il. « Viens vite. » « Où ? Pourquoi ? » demande Jeanne. « Vite ! Vite ! » dit Pierre. « C'est urgent ! Je t'explique après. » Il s'en va à travers la foule. Jeanne suit.

Pierre peut toujours voir l'homme désagréable, car heureusement il est très grand.

Le défilé finit. La foule baisse la tête. « Quel défilé magnifique, n'est-ce pas, monsieur ? » dit le monsieur âgé à monsieur Ledoux. « Oui, en effet,» dit monsieur Ledoux. « Et maintenant, au déjeuner ! Venez, mes enfants.» Mais les enfants ne sont pas là. « Pierre ! Jeanne ! » crie monsieur Ledoux, effrayé. Pas de réponse ! La foule s'en va, mais les enfants ne sont pas là. Monsieur Ledoux est désespéré. Qu'est-ce qu'il va dire à sa femme ? À ce moment, le monsieur âgé met la main dans sa poche : il veut savoir l'heure. Mais sa montre n'est pas là. « Ma montre ! » crie-t-il. « Ma montre ! Au voleur ! Au voleur ! » « Mes enfants ! Mes enfants ! » crie monsieur Ledoux. « Pierre ! Jeanne ! » Un agent arrive. « Qu'est-ce qu'il y a ? » dit-il. « Pourquoi ce bruit ? » « Ma montre ! » dit le monsieur âgé. « Mes enfants ! » dit monsieur Ledoux. À ce moment Jeanne arrive, essoufflée. « Jeanne ! » dit monsieur Ledoux. « Papa,» dit Jeanne, « viens vite. La montre de ce monsieur... » « Ma montre ? » crie le monsieur âgé. « Où est-elle ? » « C'est le grand monsieur qui a votre montre,» dit Jeanne. « L'homme devant votre père dans la foule ? » demande sa femme. « Oui,» répond Jeanne. « Mais où est cet homme ? » demande l'agent. « Dans la rue voisine,» dit Jeanne. « Dans son auto.» « Il a une automobile ? » dit le monsieur âgé. « Alors on ne peut pas l'attraper.» « Si ! Si ! » dit Jeanne. « Il ne peut pas aller très loin parce qu'il y a un clou dans le pneu de son auto.» « Comment savez-vous qu'il y a un clou dans son pneu ? » demande son père. « Parce que c'est un clou de la boîte aux outils de Pierre,» dit Jeanne. « C'est Pierre qui... ? » demande son père. « Oui,» dit Jeanne. « Ma foi ! » dit l'agent. « Vous avez des enfants intelligents, monsieur. Allons tout de suite trouver cet homme.» L'agent va avec Jeanne, son père, le monsieur et la dame, dans la rue voisine. Là, ils trouvent l'homme désagréable dans une auto qui a un pneu crevé. Pierre regarde l'homme. Quand l'homme voit l'agent, il descend de l'auto et court. Pierre court, l'agent et monsieur Ledoux aussi. Ils attrapent l'homme. Ils cherchent dans les poches de l'homme et ils trouvent la montre du monsieur âgé. L'agent amène l'homme au poste de police. Le monsieur âgé donne sa carte à monsieur Ledoux. «Monsieur,» dit-il, «voici ma carte. Voulez-vous bien amener madame votre femme et vos enfants dîner chez nous ce soir ? » « Oui, monsieur,» dit sa femme. « De notre appartement nous avons une vue superbe des feux d'artifice. Vous voulez bien ? » « Merci beaucoup, madame,» dit monsieur Ledoux. «J'accepte avec plaisir.» Ils se disent au revoir et ils partent. « Mes enfants,» dit monsieur Ledoux, «votre mère va rire. Vous savez qu'elle a dit : «Ne perdez pas les enfants dans la foule » ? Eh bien, c'est précisément ce qui est arrivé.»

EXERCICES

A. *Faites des phrases avec les locutions suivantes, qui sont utiles à apprendre par cœur :*

1. Faites attention !   Be careful !
2. Au premier rang.   In the first row.
3. N'importe !   It does not matter.
4. Il a mal aux yeux.   His eyes hurt.
5. À travers la foule.   Through the crowd.
6. Pas de réponse !   No reply !
7. Au voleur !   Stop thief !

B. *Répondez aux questions :*

1. Pourquoi est-ce que Paris est en fête ?

2. Pourquoi est-ce que monsieur Ledoux et les enfants partent de bonne heure ?
3. Où vont-ils ?
4. Est-ce qu'ils trouvent de bonnes places ?
5. Est-ce que le grand monsieur est agréable ?
6. Décrivez le défilé de troupes.
7. Qu'est-ce que Pierre voit quand il baisse la tête ?
8. Que fait Pierre ?
9. Pourquoi est-ce que l'auto ne part pas ?
10. Est-ce que monsieur Ledoux perd les enfants dans la foule ?

C. *Complétez les phrases :*

1. « Vite, ——,» dit monsieur Ledoux.
2. Les enfants sont bientôt —— à partir.
3. Nous allons —— l'avenue —— Rond-Point.
4. La foule —— quand le défilé arrive.
5. La garde républicaine a des casques qui —— et des —— flottantes.
6. Les spahis avancent —— .
7. Le clou vient de la —— de Pierre.
8. L'homme est dans la rue ——.
9. La dame dit que de leur appartement ils ont une vue —— des ——.
10. C'est précisément ce qui ——.

D. *Décrivez un défilé de troupes.*

(Quand et où est-ce que le défilé a lieu ? Où allez-vous pour le voir ? Est-ce que vous trouvez de bonnes places ? Décrivez les gens près de vous dans la foule. Décrivez le défilé. Que faites-vous quand le défilé est fini ?)

PAS POUR LES PETITES FILLES

Suzanne se réveille : il fait nuit. Quelle heure est-il ? Suzanne prend la torche électrique sous son oreiller et regarde sa montre : il est minuit moins le quart. Pourquoi est-ce qu'elle se réveille ? Ah, oui : un chien aboie : c'est ça. Suzanne est en vacances dans un petit village au bord de la mer, avec ses parents, son frère Jean et son cousin Marc. À l'hôtel, Suzanne a une petite chambre au deuxième étage ; Marc et Jean ont une chambre à côté de Suzanne, et les parents de Suzanne ont une chambre au premier. Suzanne se retourne dans son lit ; elle n'allume pas l'électricité, mais elle regarde par la fenêtre. Il y a beaucoup d'étoiles au ciel, mais il n'y a pas de lune. Et voilà la lumière du phare du cap Gris Nez. Suzanne n'a pas peur la nuit dans cet hôtel au bord de la mer, parce qu'il y a toujours la lumière des phares. Oui, voilà de nouveau le phare du cap Gris Nez. Suzanne a envie de voir aussi le phare du port de Boulogne. Elle ne peut pas voir ce phare quand elle est couchée. Elle se lève donc et va à la fenêtre. Elle ouvre la fenêtre et se penche un peu. Oui, voilà le phare de Boulogne. Mais qu'est-ce qu'elle voit ? Il y a une lumière dans le vieux fort sur la plage. Non, ce n'est pas possible ! Le vieux fort est en ruines ; les enfants y jouent pendant la journée. La nuit, le fort est vide. D'où vient cette lumière ? Voilà, de nouveau, la lumière. Quelqu'un est tout à fait en haut du fort et montre la lumière vers la mer. Que c'est mystérieux ! C'est peut-être un signal. Mais oui, c'est ça, c'est un signal. Suzanne compte les clignotements de la lumière : un, deux, trois, puis un espace ; puis de nouveau : un, deux, trois. Oui, indubitablement, c'est un signal.

La fenêtre à côté de Suzanne s'ouvre. Quelqu'un se penche dans la nuit : c'est Jean, le frère de Suzanne. « Holà, Jean ! » dit Suzanne. Jean tourne la tête et voit Suzanne à la fenêtre. « Qu'est-ce que tu fais là ? » dit-il. « Tu ne peux pas dormir ? » « Non, » dit Suzanne. « Je ne peux pas dormir. Je regarde les phares. » « Ne fais pas de bruit, » dit Jean. « Marc et moi, nous descendons à la cuisine chercher quelque chose à manger : Marc a faim. » « Très bien, » dit Suzanne. « Je viens aussi. » « Non, tu ne peux pas venir, Suzanne, » dit Jean. « Ce n'est pas une aventure pour les petites filles. » Suzanne est furieuse. C'est toujours la même histoire. Elle a dix ans. Mais Jean et Marc ont douze ans. Toujours, quand ils vont faire quelque chose d'intéressant, ils disent à Suzanne : « Ce n'est pas une aventure pour les petites filles. » C'est trop ! « Très bien, » dit Suzanne. « Si je ne peux pas venir, je ne raconte pas mon secret. Je sais quelque chose d'extrêmement mystérieux. » « Raconte ! » dit Jean. « Non, » dit Suzanne. « Ce n'est pas un secret pour les grands garçons. »

Il y a un bruit derrière Jean, et Marc arrive aussi à la fenêtre. « Qu'est-ce qu'il y a ? » dit-il. « Suzanne a un secret, » répond Jean, « mais elle veut descendre avec nous à la cuisine ; autrement elle ne raconte pas. » « Raconte, Suzanne, » dit Marc, « et si c'est vraiment intéressant tu peux descendre à la cuisine avec nous. » Suzanne est ravie. Elle raconte l'histoire de la lumière dans le vieux fort. « Regardez, » dit-elle. « Voilà de nouveau la lumière. » Les garçons regardent. Oui, en effet, voilà la lumière : un, deux, trois ; un, deux, trois. « Mais, c'est le coup classique des contre-bandiers ! » dit Jean. « Vite ! Nous allons voir.» « Je viens aussi,» dit Suzanne. « Non, vraiment,» dit Jean, « cette fois, ce n'est certainement pas une aven-ture pour les petites filles.» « Non,» dit Marc, « c'est peut-être dangereux. Tu ne peux vraiment pas venir, Suzanne. Reste ici, et si nous ne revenons pas dans une heure, avertis tes parents.» « Oui, c'est ça,» dit Jean. « Viens, Marc.» Il ferme la fenêtre.

Suzanne est furieuse. Eh bien, non ! Elle ne va pas rester tranquillement à la maison. Elle s'habille vite. Elle entend ouvrir la porte de la chambre des garçons. Les garçons passent devant sa porte : ils marchent sur la pointe des pieds. Ils descendent l'escalier. Suzanne attend un moment, puis elle sort de sa chambre et descend aussi l'escalier. Les garçons sortent de l'hôtel et vont au vieux fort. Suzanne suit. En bas du fort, près de la mer, il y a une petite barque de pêche. Les garçons s'arrêtent et examinent la barque. Suzanne s'arrête aussi. « Dis donc, Marc,» dit Jean, « tu vois ? ce sont des cigarettes dans la barque, des centaines de paquets de cigarettes ! » « Oui, c'est vrai. Ce sont vraiment des contre-bandiers ! » dit Marc. « Grimpons jusqu'en haut du fort, pour voir.» Ils commencent à grimper. Suzanne suit : elle sait grimper aussi bien qu'un garçon.

Ils arrivent en haut du fort. Il y a quatre hommes là-haut. Un homme a une grande torche électrique : il donne les signaux. Les autres parlent. « Le navire va bientôt répondre, j'espère,» dit le premier. « Je n'aime pas du tout faire la contrebande. C'est dangereux.» « Mais non, mon vieux,» dit l'autre. « Il n'y a pas de danger. Le navire va bientôt répondre et nous allons nous mettre en mer.» « Tu entends ? » dit Jean à Marc. « Ce sont vraiment des

contrebandiers.» «Oui,» dit Marc. «Mais chut!
Ils vont entendre.» «Oh!» dit Jean. «Je vais
éternuer.» «Non!» dit Marc. «Tu ne peux pas.
Chut!» «Oh! Oh!» dit Jean, et il éternue:
«Atchou! Atchou!» Les hommes se retournent.
Ils voient les garçons. «Vite! Attrapez ces garçons!» dit l'homme à la torche. Les hommes saisis-
sent les garçons et les attachent avec des cordes.
«Bâillonnez-les,» dit l'homme à la torche. Les
hommes mettent des bâillons dans la bouche des
garçons. Que Jean et Marc ont l'air malheureux!
Suzanne reste silencieuse dans l'ombre; les hommes
ne la voient pas. «Qu'est-ce que nous allons faire de
ces garçons?» dit un des hommes. «Nous allons
les laisser là,» dit l'homme à la torche. «Il ne fait pas
froid. Quelqu'un va les trouver demain matin.
Nous ne revenons pas ici, donc il n'y a pas de danger.»
Puis il se retourne vers la mer et reprend les signaux.
Les autres hommes regardent la mer aussi. Silencieuse-
ment, Suzanne sort de l'ombre. Elle descend sur le
sable avec beaucoup de précautions. Puis elle court
au village. Que faire? Avertir ses parents? Non,
plutôt la police. Elle sait où habite l'agent du village.
Elle court à sa maison et frappe à la porte. L'agent
ouvre la fenêtre. Suzanne raconte son histoire.
Dans quelques instants, l'agent est dans la rue avec
Suzanne. Sa femme avertit par téléphone les agents
de la douane et les parents de Suzanne. Suzanne et
l'agent courent au vieux fort. Le père de Suzanne,
et les agents de la douane arrivent en même temps.
Les contrebandiers sont en train de s'embarquer dans
la barque de pêcheur. Les agents de la douane les
attrapent. Le père de Suzanne, l'agent du village
et Suzanne grimpent en haut du fort et délient
les malheureux garçons. «Bravo, Suzanne!» dit

Marc. « Pour une petite fille, ce n'est pas trop mal.»

EXERCICES

*A. Faites des phrases avec les locutions suivantes, qui sont utiles
    à apprendre par cœur :*

1. Il fait nuit.	It is dark.
2. C'est ça.	That's it. (That's right.)
3. Au deuxième étage.	On the second floor.
4. Elle regarde par la fenêtre.	She looks out of the window.
5. Que c'est mystérieux !	How mysterious it is !
6. Il a faim.	He is hungry.
7. Qu'est-ce qu'il y a ?	What is the matter ?
8. De nouveau.	Again. (Afresh ; a second time.)
9. Il marche sur la pointe des pieds.	He walks on tiptoe.
10. Chut !	Hush !

B. Répondez aux questions :

1. Quelle heure est-il quand Suzanne se réveille ?
2. Où est-elle ?
3. Qu'est-ce qu'elle voit quand elle regarde par la fenêtre ?
4. Pourquoi est-ce que Jean et Marc vont descendre à la cuisine ?
5. Pourquoi est-ce qu'ils disent que Suzanne ne peut pas les accompagner ?
6. Qu'est-ce qu'ils voient dans la barque de pêche ?
7. Combien d'hommes y a-t-il en haut du vieux fort ?
8. Comment est-ce que les hommes savent que les garçons sont là ?
9. Qui est-ce que Suzanne avertit ?
10. Qui attrape les contrebandiers ?

C. Complétez les phrases :

1. Suzanne se réveille parce qu'un chien ——.

2. Marc et Jean ont une chambre —— Suzanne.
3. Il y a beaucoup —— au ciel, mais il n'y a pas —.—
4. Elle ouvre la fenêtre et elle —— un peu.
5. Suzanne compte les —— de la lumière.
6. Nous descendons à la cuisine chercher ——.
7. « C'est le —— des contrebandiers !» dit Jean.
8. Suzanne sait grimper —— un garçon.
9. « Oh,» dit Jean. « Je vais ——.»
10. Les hommes mettent des —— dans la bouche des garçons.

D. *Écrivez une petite composition* : « *La lumière dans la nuit.*»

(Jean et Suzanne se réveillent une nuit à minuit : pourquoi ? Ils voient une lumière dans un endroit extraordinaire : quel endroit ? Pourquoi est-il extraordinaire de voir une lumière dans cet endroit ? Les enfants vont voir ce qui arrive : qu'est-ce qu'ils trouvent ? Quelle est la fin de l'histoire ?)

L'HOMME AUX MAINS ROUGES

Je m'appelle Henri Martin. J'ai douze ans. Je suis au lit. Il est trois heures de l'après-midi, le soleil brille, et je suis au lit. Pourquoi suis-je au lit ? Je vais vous raconter. J'ai la rougeole. C'est très ennuyeux ! J'ai la rougeole depuis une semaine. Je ne me sens pas malade. Aujourd'hui je veux me lever et jouer, mais le docteur dit : « Non, monsieur Henri, tu ne peux pas te lever aujourd'hui. Tu dois rester au lit.» Trois heures sonnent. À quatre heures, maman apporte mon goûter : une tasse de lait, une tartine de beurre. Mais il n'est pas encore quatre heures. Trois heures seulement ! Que faire ? J'ai fini mon livre. Je n'ai pas sommeil. Je regarde par la fenêtre : je vois le ciel. Pas très intéressant ! Je me lève un peu dans le lit. Maintenant, je peux voir la fenêtre de l'appartement des Dupont, en face. Pas très intéressant non plus ! Mais attendez ! Quelqu'un se promène dans l'appartement des Dupont. C'est un homme. C'est peut-être monsieur Dupont. Mais il a un chapeau sur la tête. Pourquoi est-ce que monsieur Dupont se promène dans le salon, un chapeau sur la tête ? Ce n'est peut-être pas monsieur Dupont. Mais non, je réfléchis ! Ce n'est pas monsieur Dupont. Monsieur et madame Dupont sont en vacances. C'est un cambrioleur ! Je regarde de nouveau. Oui, l'homme est toujours là. C'est certainement un cambrioleur !

Vite, j'appelle maman : « Maman, maman, viens vite ! » Désespoir ! Elle ne répond pas. À côté de mon lit il y a une canne. Maman me laisse la canne pour frapper si j'ai besoin d'elle. Vite, je saisis la canne, et je frappe. Et j'appelle de nouveau : « Maman, viens vite ! Viens vite ! » Maman arrive, essoufflée. « Mais qu'est-ce qu'il y a ? » dit-elle. « Qu'est-ce qu'il y a ? Tu as mal, Henri ? » « Non, non, maman, » dis-je. « Je n'ai pas mal. Mais regarde, vite, par la fenêtre ! Il y a un cambrioleur dans l'appartement des Dupont. » « Mais, mon pauvre Henri, tu as certainement de la fièvre, » dit maman, et elle met la main sur mon front. « Mais non, maman, non, je n'ai pas de fièvre, » dis-je, et je bondis sur le lit. « Va voir, je t'en supplie ! Je t'assure qu'il y a un cambrioleur. » Et je bondis de nouveau. « Alors, si j'y vais, tu restes tranquille dans ton lit ? » dit maman. « Oui ! Oui ! » Maman va à la fenêtre. Elle ouvre la fenêtre et elle regarde attentivement l'appartement des Dupont. Moi aussi, je regarde, mais je ne vois personne. Maman ferme la fenêtre. Elle revient vers le lit. « Non, Henri, » dit-elle, « il n'y a personne dans l'appartement des Dupont. Tu as certainement de la fièvre. Allonge-toi et dors. » Mon livre est par terre. Maman le ramasse. « Qu'est-ce que tu lis ? » dit-elle. « Ah ! *Arsène Lupin, gentleman-cambrioleur.* Je comprends ! Tu lis des histoires de cambrioleurs et tu imagines que tu vois des cambrioleurs. Dors un peu, mon enfant. La rougeole te donne des hallucinations ! » Maman rit. Elle arrange les draps sur mon lit et elle s'en va.

Que c'est ennuyeux ! Je suis sûr qu'il y a un cambrioleur dans l'appartement des Dupont. À ce moment sans doute il vole l'argent des Dupont. Je ne peux pas rester au lit. Je me lève dans le lit, doucement, très doucement. Si maman m'entend, c'est le désastre. Je regarde par la fenêtre. Oui !

L'homme est toujours là. Je le vois. Non, je ne peux pas rester au lit. Doucement, je me lève, je sors du lit, je traverse la chambre, j'arrive à la fenêtre. Je regarde à travers le rideau. Est-ce que l'homme est toujours là ? Oui, il est toujours là. Il vient à la fenêtre. Il ouvre la fenêtre, et sort sur le petit balcon. Je comprends ! Il va passer du balcon des Dupont sur le balcon de l'appartement voisin. Il va entrer et voler, là aussi. Comment empêcher cela ? Vite, j'ouvre la fenêtre. L'homme me regarde, surpris. Il hésite un instant sur le balcon. Sur la petite table à côté de la fenêtre il y a quelques objets. J'allonge la main. Je sens sous la main une bouteille d'encre. Je la prends et je la lance de toutes mes forces vers l'homme sur le balcon. La bouteille frappe le balcon et se casse. Les mains de l'homme sont éclaboussées. C'est de l'encre rouge. Ses mains sont couvertes d'encre rouge. Il se retourne vite, et disparaît dans l'appartement des Dupont. Je me penche à la fenêtre. Quelle chance ! Deux agents de police se promènent dans la rue en bas. J'appelle de toutes mes forces : « Monsieur l'agent, arrêtez l'homme aux mains rouges qui va sortir de la maison en face ! C'est un voleur ! » Les agents me regardent. Ils rient. Le cambrioleur sort de la maison très sagement, comme une personne ordinaire, les mains dans les poches. Je crie : « Le voici ! Le voici ! L'homme aux mains rouges ! Au voleur ! Au voleur ! » L'homme commence à courir. Les agents courent aussi. Ils attrapent l'homme. Ils regardent ses mains. En effet, il a les mains rouges ! Les agents cherchent dans ses poches. Ils trouvent des cuillers en argent.

Mais à ce moment maman entre dans la chambre. Elle est furieuse ! « Qu'est-ce que tu fais là, Henri ? »

dit-elle sévèrement. « Couche-toi immédiatement ! »
« Maman, laisse-moi regarder,» dis-je. « Les agents
arrêtent le cambrioleur, tu sais, le cambrioleur de
l'appartement des Dupont.» Maman vient à la
fenêtre. Elle regarde aussi. « Henri, tu es impossible ! » dit-elle, mais elle apporte ma robe de chambre
et une couverture pour m'envelopper et elle me laisse
regarder. Les agents amènent l'homme aux mains
rouges au poste de police. Il y a beaucoup de personnes dans la rue. Et — quel bonheur ! — un des
agents lève les yeux vers notre fenêtre et me fait un
beau salut militaire !

« Et maintenant, au lit ! » dit maman sévèrement.
« J'appelle le docteur tout de suite, et si tu prends
froid... ! » Le docteur arrive. Maman raconte l'histoire. Le docteur rit beaucoup. Il m'examine.
« Non, non,» dit-il, « il ne va pas mal. Évidemment
les détectives ne prennent pas froid comme les personnes ordinaires.» Il me donne un cachet à prendre,
et s'en va. Maman m'apporte une boisson chaude.
Je la bois, et je m'endors. Que c'est agréable d'avoir
la rougeole !

EXERCICES

*A. Faites des phrases avec les locutions suivantes, qui sont utiles
à apprendre par cœur :*

1. L'homme aux mains rouges.	The man with red hands. / The red-handed man.
2. Je ne me sens pas malade.	I don't feel ill.
3. Tu dois rester au lit.	You must stay in bed.
4. Une tartine de beurre.	A slice of bread and butter.
5. J'ai sommeil.	I am sleepy.
6. J'ai besoin de...	I need . . .

38

7. J'ai mal.	I am ill.
8. Tu as de la fièvre.	You have a temperature.
9. Je t'en supplie !	I beg you !
10. De toutes mes forces.	With all my strength.

B. *Répondez aux questions :*

1. Pourquoi est-ce que Henri est au lit ?
2. Pourquoi est-ce qu'il ne lit pas son livre ?
3. Avec quoi est-ce qu'il frappe ?
4. Est-ce que maman voit le cambrioleur ?
5. Qu'est-ce que Henri jette au cambrioleur ?
6. De quoi est-ce que les mains du cambrioleur sont couvertes ?
7. Qu'est-ce que les agents trouvent dans les poches de l'homme ?
8. Pourquoi est-ce que maman est furieuse ?
9. Qui est-ce qu'elle appelle ?
10. Est-ce que Henri prend froid ?

C. *Complétez les phrases :*

1. C'est très —— . J'ai la rougeole —— une semaine.
2. Maman arrive ——.
3. Maman met la main sur ——.
4. Maman dit : « —— et dors.»
5. Mon livre est ——. Maman le ——.
6. L'homme va entrer et ——. Comment —— cela ?
7. Les mains de l'homme sont ——.
8. Maman apporte une —— pour m'envelopper.
9. Un des agents lève les yeux vers la fenêtre et ——.
10. Les détectives ne —— comme les personnes ordinaires.

D. *Écrivez une petite composition : « La rougeole.»*

(Vous souffez de la rougeole depuis quand ? Est-ce que vous êtes au lit ? Que voyez-vous de votre lit ? Qu'est-ce que vous avez près de vous ? Est-ce que vous vous sentez malade ? Que mangez-vous ? Que buvez-vous ? Que lisez-vous ? Qu'est-ce que le docteur vous donne ? Est-ce que c'est agréable d'avoir la rougeole ?)

LES ÉLÈVES IMPOSSIBLES

Monsieur Briand est le maître de la sixième classe au lycée Dufour. Aujourd'hui, mardi, monsieur Briand est de mauvaise humeur. Mardi, c'est le jour de la classe-promenade. Monsieur Briand déteste la classe-promenade. Quand il a ses vingt élèves sous les yeux, dans la salle de classe, il peut maintenir l'ordre. Mais quand il a ses vingt élèves dans les rues de la ville, c'est une autre histoire. Vingt élèves dans la rue trouvent beaucoup d'occasions de jouer des tours : il y a des élèves qui s'arrêtent pour regarder les vitrines, des élèves qui ne regardent pas où ils vont et se heurtent contre les passants ; si monsieur Briand ne marche pas à la tête de la file, les premiers élèves traversent la route sans regarder, sous les roues des automobiles, et les automobilistes sont furieux ; s'il marche à la tête de la file, les élèves de la queue font des bêtises. Oui, monsieur Briand déteste la classe-promenade !

Les élèves de monsieur Briand, au contraire, adorent la classe-promenade : c'est beaucoup plus intéressant dans la rue que dans la salle de classe. Dans la salle de classe ce vieux « Brioche » — c'est le sobriquet de monsieur Briand — a les yeux partout, et si les élèves ne travaillent pas, les punitions viennent tout de suite. Mais, dans la rue, le pauvre « Brioche » ne peut pas avoir l'œil sur vingt élèves à la fois. Que d'occasions de jouer des tours !

L'heure du déjeuner finit. La cloche sonne : les classes de l'après-midi commencent. Monsieur

Briand soupire. Il met son chapeau et son pardessus et il sort dans la cour, où ses vingt élèves attendent. Les élèves ont l'air extrêmement innocent : ils sont sages comme des images. Monsieur Briand n'est pas dupe : il connaît cet air innocent ! Aujourd'hui il amène les élèves au musée de la ville. Ce matin, dans la leçon d'histoire naturelle, il a donné à chaque élève le nom d'un animal ou d'un oiseau ; au musée, où il y a une salle d'animaux et d'oiseaux empaillés, chaque élève doit trouver son animal (ou son oiseau), et faire un dessin et une description de cet animal. Monsieur Briand regarde la classe. « Faites attention ! » dit-il. « Chaque élève a son cahier d'histoire naturelle ? » « Oui, monsieur,» répondent les élèves, et ils montrent les cahiers. « Chaque élève sait le nom de son animal ou de son oiseau ? » continue monsieur Briand. « Oui, monsieur,» répondent les élèves. « Bon ! » dit monsieur Briand. « Alors, en route. Mettez-vous en file, deux par deux.» Les élèves se rangent en file. « Écoutez bien,» dit monsieur Briand. « Marchez doucement et tranquillement dans la rue. Ne courez pas. Tenez la droite. Et ne traversez pas la route avant le signal. C'est compris ? » « Oui, monsieur. C'est compris,» répondent les élèves. « En route, alors,» dit monsieur Briand, et les élèves se mettent en route.

La file descend la rue Dufour. Les élèves marchent doucement et tranquillement. Ils ne courent pas. Ils tiennent la droite. Les passants regardent avec approbation. Monsieur Briand est content. Il marche à la tête de la file et donne le signal de traverser la route ; les élèves traversent en bon ordre. Ils sont vraiment très sages aujourd'hui. Monsieur Briand se perd dans une rêverie : ce soir, il dîne au restaurant avec un ami ; qu'est-ce qu'on va manger ? Un bon potage, peut-être, pour commencer ; puis une sole frite ; alors un bon bifteck, avec des pommes de terre et des petits pois bien tendres... Monsieur Briand sort brusquement de sa rêverie. Qu'est-ce qu'il entend ? Des miaulements de chats, le rire des élèves. Il voit des passants qui se retournent et qui sourient. Il regarde la queue de la file. Ma foi ! Qu'est-ce qu'il voit ? Il y a au moins six chats qui suivent la file, et qui miaulent. Les deux derniers élèves de la file sont Picard et Leblanc. « Ah, oui. Deux mauvais sujets, » se dit monsieur Briand. « Arrêtez-vous, » dit-il aux élèves. La file s'arrête. Monsieur Briand va à la queue de la file. Picard et Leblanc regardent monsieur Briand, l'air innocent. Monsieur Briand sent l'air : oui, il sent une forte odeur de poisson. Tout s'explique : les chats suivent l'odeur de poisson. Leblanc et Picard ont le cahier d'histoire naturelle sous le bras, les mains dans les poches. « Leblanc, » dit monsieur Briand, « qu'est-ce que vous avez dans les poches ? » « Dans mes poches, monsieur ? » dit Leblanc, l'air innocent. « Mais.... une brioche, monsieur. » La classe rit. Monsieur Briand regarde Leblanc très sévèrement ; il connaît son sobriquet. Mais Leblanc ne sourit pas. « Montrez-moi, » dit monsieur Briand. Leblanc tire de sa poche une brioche. La classe rit de nouveau. « Et vous, Picard ? » dit monsieur Briand, d'une voix de tonnerre. « Videz vos poches ! » Picard soupire et tire de sa poche un poisson. « Malheureux garçon ! » dit monsieur Briand. « Jetez ce poisson aux chats. » Picard jette le poisson. « Et, de retour au lycée, vous allez tout de suite chez le proviseur, » ajoute monsieur Briand. Picard soupire. « Oui, monsieur, » dit-il. « Et maintenant, » dit monsieur Briand, « Picard et Leblanc, allez à la tête de la file. Vous allez marcher avec moi. »

Picard et Leblanc vont à la tête de la file. Monsieur Briand regarde attentivement ses élèves : il cherche un élève sérieux. Ah oui ! Voilà Duclos, qui est maintenant à la tête de la file. Duclos est un garçon sérieux, studieux, obéissant. « Duclos, » dit monsieur Briand, « venez marcher à la queue de la file. Je compte sur vous. » Duclos vient. « Très bien, monsieur, » dit-il. Monsieur Briand va à la tête de la file, à côté de Picard et de Leblanc. « En route, » dit-il. Les élèves se mettent en route. Enfin ils arrivent au musée. Monsieur Briand pousse un soupir de soulagement. Il rassemble ses élèves dans l'entrée du musée. Par prudence, il compte les élèves : « ...dix-huit, dix-neuf... » Ma foi ! Un élève manque. Qui est-ce ? Monsieur Briand fait l'appel : « Alais ? » « Monsieur ! » « Berthaud ? » « Monsieur ! » « Duclos ? » Silence ! C'est Duclos qui manque. Pas possible !

Monsieur Briand court à la porte du musée. Il sort dans la rue. Là, de l'autre côté de la route, sur le bord du trottoir, il voit Duclos. Il traverse la rue. « Qu'est-ce que vous faites là, Duclos ? » dit-il. « J'attends, monsieur, » dit Duclos. « Qu'est-ce que vous attendez ? » « Le signal, monsieur. » « Quel signal ? » « Le signal de traverser la route. » « Mais j'ai donné le signal, et les autres ont traversé, » dit monsieur Briand, excédé. « Vous n'avez pas vu ? » « J'ai vu les autres traverser, monsieur, » dit Duclos, « mais je n'ai pas vu le signal. Vous avez dit : « Ne traversez pas si vous ne voyez pas le signal », alors, je n'ai pas traversé. » Monsieur Briand est au désespoir ! Ses élèves sont impossibles : s'ils ne sont pas sérieux, ils sont idiots comme Picard et Leblanc ; s'ils sont sérieux, ils sont idiots comme Duclos. Monsieur Briand déteste la classe-promenade !

EXERCICES

A. Faites des phrases avec les locutions suivantes, qui sont utiles
à apprendre par cœur :

1. Il est de mauvaise humeur.	He is in a bad temper.
2. Jouer des tours.	To play tricks.
3. À la fois.	At one and the same time.
4. Que d'occasions de jouer !	What a lot of opportunities to play !
5. Il n'est pas dupe.	He is not taken in.
6. Faites attention !	Pay attention !
7. En route !	Off we go !
8. Tenez la droite !	Keep to the right !
9. C'est un mauvais sujet.	He is a bad boy.
10. Il fait l'appel.	He calls the roll.

B. Répondez aux questions :

1. Qui est monsieur Briand ?
2. Pourquoi est-il de mauvaise humeur ?
3. Quand est-ce qu'il peut maintenir l'ordre ?
4. Où est-ce qu'il amène ses élèves aujourd'hui ?
5. Qu'est-ce que chaque élève doit faire ?
6. À quoi rêve monsieur Briand ?
7. Qu'est-ce qu'il entend quand il sort de sa rêverie ?
8. Qui a le poisson dans sa poche ?
9. Quelle sorte de garçon est Duclos ?
10. Quel élève manque quand ils arrivent au musée ?

C. Complétez les phrases :

1. Il y a des élèves qui —— pour regarder ——.
2. Il y a des élèves qui —— les passants.
3. Les élèves de la queue font des ——.
4. « Brioche, » c'est le —— de monsieur Briand.
5. Les élèves sont sages comme ——.
6. Monsieur Briand dit aux élèves : « Mettez-vous ——, ——. »
7. « Et vous, Picard ? » dit monsieur Briand, d'une voix ——. « —— vos poches ! »

8. Quand il arrive au musée, monsieur Briand pousse
———.

9. Par ———, il compte les élèves.

10. Là, ——— de la route, sur ——— du trottoir, il voit
Duclos.

D. *Décrivez une classe-promenade.*

(Quel jour est la classe-promenade ? Où allez-vous ?
Décrivez les préparatifs pour le départ : où attendez-vous
votre professeur ? Quelles instructions est-ce qu'il vous
donne ? Décrivez le trajet : quelle route prenez-vous ?
Comment est-ce que vous marchez ? Quel incident se
produit en route ? Quand arrivez-vous ? Que faites-
vous quand vous arrivez ?)

L'OURS DE BÉBÉ

Bébé a perdu son ours. Bébé pleure, Bébé hurle. C'est très ennuyeux. La famille Duclos est sur le paquebot « Maid of Orleans » qui va de Folkestone à Boulogne. Monsieur et madame Duclos et les enfants, Marie, Paul et Bébé, ont passé de très bonnes vacances à Londres : maintenant ils rentrent en France. Comme souvenir de Londres, monsieur Duclos a acheté des cadeaux pour les enfants : un beau canif en acier pour Paul, une belle écharpe en laine pour Marie, et un ours pour Bébé. Et maintenant Bébé a perdu son ours.

« Ours ! Ours ! » crie Bébé. « Marie, » dit madame Duclos, « cherche l'ours de Bébé, veux-tu ? » Marie cherche. « Il n'est pas là, son ours, » dit-elle. « Comment ? Pas là ? » dit madame Duclos. « Mais si. Cherche bien dans le sac bleu. Paul, cherche aussi, veux-tu ? » Paul et Marie cherchent bien dans le sac bleu, dans tous les sacs. Mais l'ours n'est pas là. « Ours ! Ours ! » hurle Bébé. « Son ours n'est pas là, maman, » dit Paul. « Oh, que c'est ennuyeux ! » dit sa mère. « Il l'a laissé dans le train. » « Son ours ? » dit monsieur Duclos. « Non, il ne l'a pas laissé dans le train. Je l'ai vu à la douane. Je l'ai montré au douanier, et je l'ai porté moi-même sur le bateau. » « Oui, et papa l'a donné à Bébé sur le bateau, » dit Paul. « J'ai vu. » « Alors, où est-il ? » dit maman. « Bébé l'a sans doute laissé tomber sur le pont, » dit Marie. « Oui, sans doute, » dit maman. « Allez chercher, mes enfants, voulez-vous ? » « Bien

sûr,» disent les enfants, et ils s'en vont. «Chut!
Chut!» dit madame Duclos à Bébé qui pleure toujours. «Regarde ce joli livre.» Bébé regarde. Il ne
pleure plus.

Paul et Marie cherchent partout l'ours de Bébé.
«Pardon,» dit Marie à des dames, «mais je cherche
l'ours de mon petit frère.» «Pardon,» dit Paul à des
messieurs, «mais vous n'avez pas vu un ours?» «Ma
foi, non!» répond un des messieurs. «C'est ici un
bateau, non pas une ménagerie!» Les messieurs
rient. «Non, mais un ours en peluche,» dit Paul.
«Non, mon petit,» répond un autre monsieur, «nous
ne l'avons pas vu, votre ours.» Paul et Marie cherchent
partout mais ils ne trouvent pas l'ours. Comme ils
passent devant la porte d'une cabine, soudainement,
Marie prend le bras de Paul. «Tu n'as pas vu?» dit-
elle. «Non, quoi?» dit Paul. «L'ours de Bébé,»
dit Marie. «Dans cette cabine!» «Mais non,» dit
Paul. «C'est impossible!» «Je t'assure,» dit Marie.
«Passons devant la porte de nouveau.» La porte de
la cabine est ouverte. Paul et Marie passent devant
la porte. Dans la cabine il y a un homme et une
femme, et, sur la banquette, un ours en peluche.
«Tu as vu?» dit Marie. «Oui, en effet, c'est un
ours,» répond Paul. «Mais ce n'est peut-être pas
l'ours de Bébé. Cet homme et cette femme ont peut-
être un bébé. C'est peut-être l'ours de leur bébé.»
«Mais non,» dit Marie. «S'ils ont un bébé, où est-il?
Il n'y a pas de bébé dans la cabine.» «Non, c'est
vrai.» dit Paul. «Passons devant la cabine une
troisième fois,» dit Marie. «Je suis sûre que c'est
l'ours de Bébé.» Ils passent devant la cabine une
troisième fois. La femme les voit. Elle vient à la
porte, l'ours à la main. «Vous cherchez peut-être cet
ours?» demande-t-elle. «Oui, madame,» dit Paul.

«Je crois que c'est l'ours de mon petit frère.» «Oui, sans doute,» dit la femme. «Je l'ai trouvé sur le pont. Voilà votre ours.» «Merci beaucoup, madame,» dit Paul. Marie prend l'ours et les enfants vont trouver leurs parents.

«Voilà ton ours,» dit Marie et elle donne l'ours à Bébé. Bébé prend l'ours et il rit. Puis il dit : «Non. Non,» et il le jette par terre. Marie le ramasse. «Où l'avez-vous trouvé ?» demande maman. Les enfants racontent qu'ils ont trouvé l'ours dans une cabine. «Curieux !» dit leur père. «Pourquoi est-ce que cette femme n'a pas donné l'ours à un officier du bateau ? On annonce souvent des objets trouvés, au haut-parleur.» «Elle n'a peut-être pas eu le temps,» dit maman. «Mais, regardez, nous arrivons à Boulogne. Ramassez vos affaires, mes enfants, vite !» Les enfants ramassent leurs affaires. Marie donne l'ours à Bébé. Bébé dit : «Non, non !» et jette l'ours par terre une deuxième fois. «Qu'il est difficile ce matin, cet enfant !» dit maman. «Porte son ours, Marie, veux-tu ?»

La famille Duclos et les autres personnes descendent du bateau. Ils passent à la douane. «Avez-vous quelque chose à déclarer ?» demande le douanier à monsieur Duclos. Monsieur Duclos déclare les objets achetés à Londres : Paul montre son canif, Marie montre son écharpe et l'ours de Bébé. «Vous permettez ?» dit le douanier, et il prend l'ours de Bébé. Il tâte l'ours. Il parle à un autre douanier. L'autre douanier tâte l'ours. Il fait «Oui» de la tête. Le premier douanier dit à monsieur Duclos : «Voulez-vous m'accompagner, monsieur, vous et votre famille, dans ce petit bureau ?» Ils vont dans le bureau, où ils trouvent le douanier en chef. Le douanier dit quelques mots et donne l'ours à son chef. Le chef dit à monsieur Duclos : « Vous permettez, monsieur ? » et il prend son canif et ouvre la couture de l'ours. Dans l'intérieur de l'ours il y a des diamants, beaucoup de diamants ! Le douanier en chef secoue l'ours et les diamants tombent sur la table. Les Duclos sont si étonnés qu'ils ne peuvent pas parler, « Vous avez acheté cet ours à Londres, monsieur ? » dit le chef. « Oui, » répond monsieur Duclos, ébahi. « Et il est

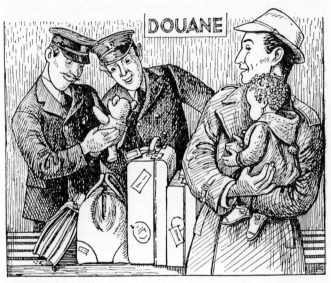

resté en votre possession tout le temps depuis ? » demande le chef. « Ah, non ! » dit monsieur Duclos. Et toute la famille Duclos parle à la fois pour raconter comment Bébé a perdu l'ours, et comment les enfants ont retrouvé l'ours dans la cabine d'un homme et d'une femme. « Oui ! Oui ! je commence à comprendre, » dit le chef. « C'est encore un jeu de Roger le Diable, célèbre voleur de diamants. Il est sur le bateau. » « Mais je ne comprends pas, » dit monsieur Duclos.

« Comment est-ce qu'il va reprendre cet ours et ses diamants ? » « Je ne sais pas non plus, » dit le chef. « C'est ennuyeux. Il faut le prendre avec les diamants sur sa personne. »

« Maman, » dit Marie soudainement, « cet ours n'est pas l'ours de Bébé. » « Comment ? » dit sa mère. « Non, » dit Marie. « Papa a acheté l'ours de Bébé au magasin Hamley de Regent Street, et j'ai vu sur sa patte la marque du magasin : « Hamley ». Sur la patte de cet ours-ci il y a la marque : « Chad Valley ». C'est pourquoi Bébé n'a pas voulu le prendre : ce n'est pas son ours. » À ce moment, deux hommes entrent dans le bureau. « Ah ! Je commence à y voir clair, » dit le chef. « Roger a toujours votre ours. On le soupçonne à la douane : on a bien cherché, mais on n'a rien trouvé, car il est vrai qu'il porte un ours en peluche, moyen bien connu de cacher les diamants, mais il n'y a pas de diamants dans son ours, qui est l'ours de Bébé. Mais vous, qui portez les diamants, dans l'ours de Roger, vous êtes évidemment des citoyens honnêtes, une famille ordinaire : on ne regarde pas votre ours, et les diamants passent la douane. Voilà le complot de Roger sans doute. Et une fois la douane passée, Roger le Diable va échanger les ours encore une fois ! » « Oui, » dit un des hommes qui est entré dans le bureau, « ce doit être le complot, car Roger le Diable a, en effet, un ours dans ses bagages — il dit que c'est un cadeau pour son fils — mais c'est un ours innocent, sans diamants. » « Et un ours qui porte sur la patte la marque « Hamley », dit l'autre homme. « Je l'ai remarqué. » « Ces messieurs sont des détectives de la Sûreté Nationale, » dit le douanier en chef. « Ils cherchent à attraper Roger depuis longtemps. » « Écoutez, » dit le détective. « Remettez les diamants dans cet ours. Voici notre plan d'action :

cette famille va sortir du bureau très gaiment, les douaniers vont leur faire des saluts très gais. Roger va penser qu'on n'a pas trouvé les diamants mais que vous y êtes entrés pour retrouver des amis... non ! des oncles ! — oui, c'est ça ! — les oncles de ces enfants. Les oncles, c'est nous ! » Il regarde l'autre détective et il rit. L'autre détective rit aussi. « Ça va calmer les soupçons de Roger,» dit-il. « Est-ce que vous savez jouer un rôle, mes enfants ? » dit-il à Paul et à Marie. « Mais oui, monsieur,» dit Marie, ravie. « Mais oui, monsieur,» dit Paul, ravi. « Nous allons vous raconter nos histoires de vacances.» « C'est ça,» dit le détective. « Et dites souvent « mon oncle », n'est-ce pas ? » « Bon ! Allons-y,» dit l'autre dé-tective.

La famille Duclos et les détectives sortent du bureau ; ils serrent la main aux douaniers ; ils rient ; ils se disent « Au revoir » ; ils sont tous très gais. Ils sortent de la douane et ils s'approchent du train. Marie et Paul s'accrochent aux bras de leurs « oncles » et racontent des histoires. Ils disent souvent « mon oncle ! » Monsieur Duclos porte l'ours et les diamants. Bientôt Roger le Diable s'approche. « Pardon, mon-sieur,» dit-il à monsieur Duclos, « mais ma femme a trouvé l'ours de votre bébé, je crois ; seulement elle s'est trompée et elle vous a donné un autre ours, acheté comme cadeau pour mon fils.» « Ah ? » dit monsieur Duclos. « Oui, monsieur,» dit Roger. « Cet ours-ci porte la marque « Hamley ». Mon ours porte la marque « Chad Valley ». Si vous voulez bien regarder... ? » Monsieur Duclos regarde. « Oui, c'est vrai,» dit-il. « J'ai acheté mon ours chez « Hamley » et cet ours porte la marque « Chad Valley » comme vous avez dit.» « Alors, si vous voulez bien échan-ger les ours... ? » dit Roger. « Très volontiers,» dit

monsieur Duclos.   Et ils échangent les ours.   Roger se
retourne et s'en va.   Mais les deux « oncles » barrent
le chemin.   « Roger Duval, ou Roger le Diable, je
vous arrête,» dit un des détectives.   Et les détectives
amènent Roger.   Bébé tend les mains vers monsieur
Duclos.   « Ours !   Ours ! » dit-il.   Monsieur Duclos
donne l'ours à Bébé.   Bébé prend l'ours entre les bras ;
il l'embrasse ; il rit.   « Ours !   Ours ! » dit-il.

EXERCICES

*A.   Faites des phrases avec les locutions suivantes, qui sont utiles
à apprendre par cœur :*

1. J'ai passé de bonnes vacances.	I had a good holiday.
2. Avez-vous quelque chose à déclarer ?	Have you anything to declare ?
3. Je commence à y voir clair.	I begin to understand.
4. Jouer un rôle.	To play a part.
5. Allons-y !	Let us go !
6. Très volontiers.	With pleasure. / Very willingly.

B.   Répondez aux questions :

1. Pourquoi est-ce que Bébé pleure ?
2. Quels cadeaux est-ce que monsieur Duclos a acheté
   à Londres ?
3. Est-ce que Bébé a laissé l'ours dans le train ?
4. Où est-ce que Marie et Paul trouvent l'ours de Bébé ?
5. Pourquoi est-ce que Bébé jette l'ours par terre ?
6. Qu'est-ce que le douanier en chef trouve dans l'ours ?
7. Comment est-ce que Marie sait que ce n'est pas l'ours
   de Bébé ?
8. Qui est Roger le Diable ?
9. Qu'est-ce que Roger et monsieur Duclos échangent ?
10. Qui arrête Roger ?

C. *Complétez les phrases :*

1. Bébé pleure, Bébé ——.
2. La dame dit : « Je l'ai trouvé sur... ——. »
3. On annonce souvent des objets —— au ——.
4. « Qu'il est —— ce matin, cet enfant, » dit maman.
5. Le douanier en chef prend son canif et il ouvre —— de l'ours.
6. Le douanier —— l'ours et les diamants tombent sur la table.
7. Les Duclos sont si —— qu'ils ne peuvent pas parler.
8. J'ai vu sur sa —— la marque « Hamley ».
9. Vous êtes des —— honnêtes, une famille ——.
10. Ces messieurs sont les détectives de ——.

D. *Écrivez une petite composition : « Incident à la Douane. »*

(La famille Martin rentre en France : quels sont les membres de la famille ? Dans quel paquebot rentrent-ils ? Quels objets est-ce qu'ils rapportent en France ? Racontez ce qu'ils font sur le bateau. Ils débarquent : que dit le douanier ? Qu'est-ce qu'ils déclarent ? Comment finit l'histoire ?)

CHEZ LE DOCTEUR

Marc est enrhumé : il tousse, il éternue, il se mouche du matin au soir. « Marc,» dit sa mère, « ça ne peut pas continuer. Ce soir je t'amène chez le docteur.» Marc est très content : il aime beaucoup le docteur qui est très gai et qui donne toujours des ordonnances qui ont bon goût. Pour un rhume, il donne souvent des pastilles à sucer. Oui, Marc est content.

Le docteur reçoit à quatre heures et demie. Marc et sa mère quittent la maison à quatre heures pour arriver chez le docteur de bonne heure. Si on arrive de bonne heure, on n'attend pas longtemps. À quatre heures et quart, ils arrivent dans la rue où habite le docteur. Ils arrivent à la porte de la maison du docteur en même temps qu'un homme qui vient de l'autre direction. Cet homme est essoufflé : il a peut-être couru ? À ce moment, il marche très vite. Devant la porte du docteur cet homme se heurte contre madame Huchard, la mère de Marc. « Mais qu'est-ce qu'il y a, monsieur ? » demande madame Huchard. « Il y a eu un accident ? » « Un accident ? Non, pourquoi ? » dit l'homme. « Mais vous êtes très pressé pour aller chez le docteur,» dit-elle. « Oui, c'est ça,» dit l'homme, toujours essoufflé. « Je vais chez le docteur. Je suis très pressé.» « Mais ne vous pressez pas,» dit madame Huchard. « Le docteur ne reçoit qu'à quatre heures et demie, et il n'est que quatre heures et quart.» Elle sonne à la porte du docteur et elle entre dans le vestibule. L'homme la suit. La salle d'attente est à droite. L'homme pousse madame Huchard, et entre le premier dans la salle d'attente.

Vraiment, il n'est pas très poli, cet homme. Madame Huchard est très surprise. « Il doit être très malade, cet homme, » dit-elle, « pour agir de la sorte. » Il y a déjà des personnes dans la salle d'attente : madame Dupuis, une amie de madame Huchard, avec sa fille Suzanne ; et aussi un vieux monsieur. Madame Huchard et madame Dupuis se saluent. Suzanne a le même age que Marc. « Bon jour, Suzanne, » dit Marc. « Tu es malade ? » « Je suis tombée dans la rue. J'ai mal au genou, » dit Suzanne. « Et toi ? » « Je suis enrhumé, » répond Marc. « Et monsieur a des rhumatismes, n'est-ce pas, monsieur ? » dit Suzanne au vieux monsieur. « Oui, ma petite, » répond le vieux monsieur, très amusé. « Et vous, monsieur, » demande Marc à l'homme impoli qui a poussé sa mère, « qu'est-ce que vous avez ? » L'homme ne répond pas. Il a l'air furieux. « Marc, » dit madame Huchard, « ne pose pas de questions comme ça. C'est très impoli. » Elle se tourne vers l'homme et dit : « Pardon, monsieur. Mon fils est très indiscret. » L'homme ne répond pas. Madame Huchard regarde madame Dupuis : elle hausse les épaules. Elle se dit : « Cet homme doit être très malade. »

Quatre heures et demie sonnent à la pendule. Le docteur ouvre la porte de son cabinet. « Bon jour, » dit-il. « Voulez-vous entrer ? » Le vieux monsieur se lève et va dans le cabinet du docteur. Madame Huchard et madame Dupuis parlent. Une vieille dame entre dans la salle d'attente. Elle dit bon jour à tout le monde et elle s'assied. Enfin, le vieux monsieur sort du cabinet du docteur, son ordonnance à la main, et il s'en va. Suzanne et sa mère entrent dans le cabinet du docteur, et puis, après un certain temps, elles sortent. Elles disent au revoir à Marc et à sa mere et elles s'en vont. Maintenant, c'est le tour de l'homme impoli, mais il ne bouge pas. « Monsieur,» dit madame Huchard, « c'est à vous maintenant.» « Non, madame,» dit l'homme, « c'est à vous.» « Mais vous êtes entré le premier. Passez, je vous en prie,» dit madame Huchard. « Non ! Non ! Passez. J'insiste,» dit l'homme. « Très bien. Si vous insistez,» dit madame Huchard, et elle entre dans le cabinet du docteur avec Marc.

« Bon jour, madame,» dit le docteur. « Bon jour, jeune homme. Alors, qu'est-ce qui ne va pas aujourd'hui ? » Madame Huchard explique que Marc est enrhumé. Le docteur tâte le pouls de Marc ; il regarde sa gorge. « Ce n'est pas très grave,» dit-il, et il écrit des ordonnances : un liquide pour faire des gargarismes, — Marc n'aime pas beaucoup ça — de la médecine qui a un goût de citron et de miel, et des pastilles de cassis à sucer, — Marc adore ça. Marc et sa mère disent au revoir au docteur et ils sortent du cabinet. Dans la salle d'attente, l'homme impoli ne bouge pas. « C'est à vous, monsieur,» lui dit la vieille dame. « Non. Je ne suis pas pressé. Passez. J'insiste,» dit l'homme. « Eh bien, merci beaucoup,» dit la vieille dame, et elle entre dans le cabinet du docteur. Madame Huchard sort de la maison du docteur avec Marc, et elle dit : « Il est vraiment extraordinaire, cet homme. Il doit être très malade.»

La rue où habite le docteur est ordinairement très calme, mais maintenant il y a plusieurs agents à chaque coin de la rue, et beaucoup de personnes qui regardent. « Qu'est-ce qu'il y a, maman ? » dit Marc. « Je ne sais pas,» répond madame Huchard. Un des hommes qui regardent dit : « Il y a eu un vol, madame, dans une grande maison des environs. Un homme a volé des bijoux. Les agents cherchent le voleur. Ils disent qu'il ne peut pas être loin : il n'a pas eu le temps.»

« Merci, monsieur,» dit madame Huchard. Marc et sa mère reprennent leur chemin. Soudainement, Marc s'arrête. « Maman,» dit-il, « l'homme chez le docteur ! » « Comment ! » dit sa mère, « qu'est-ce que tu racontes ? » « L'homme chez le docteur ! » dit Marc. « Je suis sûr que c'est le voleur. Il est entré chez le docteur pour se cacher ! » « Mon enfant, tu as des idées extraordinaires,» dit sa mère. « Mais non, maman,» dit Marc. « Réfléchis : cet homme arrive essoufflé. Il a couru. Il est pressé, puis il n'est pas pressé. Il donne son tour à tout le monde. Il ne veut pas sortir de chez le docteur, mais il ne veut pas voir le docteur, parce qu'il n'est pas malade ! » « Voyons,» dit sa mère, « tu lis trop de romans policiers.» « Mais je suis sûr que c'est vrai, maman,» dit Marc. « Parle à un agent, je t'en prie. Viens, viens ! » Et il attire sa mère vers un agent. L'agent les voit. « Qu'est-ce qu'il y a, madame ? » dit-il. « C'est mon fils qui a une idée extraordinaire, monsieur l'agent,» dit madame Huchard. « Mais il est vrai qu'il y a, dans la salle d'attente du docteur, un homme qui agit d'une façon un peu bizarre.» Et elle raconte l'histoire de l'homme impoli. « Ce n'est pas impossible,» dit l'agent. « Se cacher dans une salle d'attente chez le docteur, ce n'est pas une mauvaise idée. Nous allons voir.» Il entre chez le docteur avec ses compagnons. Marc et sa mère attendent au coin de la rue. Après quelques moments, les agents sortent avec l'homme impoli. Marc a raison : c'est le voleur ! Un des agents porte à la main les bijoux volés. Un agent prend le nom et l'adresse de Marc, qui va recevoir une lettre de remerciements de la police. Marc est enchanté. Ce soir, il fait même ses gargarismes avec enthousiasme, comme il raconte à son père son aventure chez le docteur.

57

*A. Faites des phrases avec les locutions suivantes, qui sont utiles
à apprendre par cœur :*

1. Marc est enrhumé.   Marc has a bad cold.
2. Du matin au soir.   From morning till night.
3. En même temps que...   At the same time as . . .
4. Je suis pressé.   I am in a hurry.
5. À droite.   On the right.
6. Agir de la sorte.   To act in such a way.
7. Qu'est-ce que vous avez ?   What is the matter with
                                       you ?
8. Elle hausse les épaules.   She shrugs her shoulders.
9. C'est à vous.   It is your turn.

B. Répondez aux questions :

1. Pourquoi est-ce que sa mère amène Marc chez le
   docteur ?
2. Pourquoi est-ce que Marc aime le docteur ?
3. À quelle heure le docteur reçoit-il ?
4. Pourquoi est-ce que l'homme est essoufflé ?
5. Qui est dans la salle d'attente du docteur ?
6. Est-ce que Suzanne est malade ?
7. Pourquoi est-ce que madame Huchard dit que Marc
   est indiscret ?
8. Quelles ordonnances est-ce que le docteur donne à
   Marc ?
9. Pourquoi est-ce qu'il y a beaucoup d'agents dans la
   rue ?
10. Qui est le voleur ?

C. Complétez les phrases :

1. Marc est enrhumé : il——, il —— il ——.
2. Pour un ——, le docteur donne des pastilles à ——.
3. Si on arrive ——, on n'attend pas longtemps.
4. Devant la porte du docteur, l'homme —— contre
   madame Huchard.
5. Suzanne dit : « Je suis —— dans la rue. J'ai mal
   ——.»

6. Madame Huchard dit : « Pardon, monsieur. Mon
   fils est très ——.»
7. Quatre heures et demie —— à la ——.
8. Le docteur —— le pouls de Marc.
9. Le docteur donne de la médecine qui a un goût de
   —— et de ——.
10. Il y a eu un vol dans une grande maison des ——.

D. *Écrivez une petite composition : « Chez le docteur.»*

(Votre mère vous amène chez le docteur : pourquoi ?
Aimez-vous le docteur ? Comment est-il ? À quelle
heure reçoit-il ? Quand arrivez-vous ? Qui est dans
la salle d'attente ? Racontez la conversation. Quelles
ordonnances le docteur vous donne-t-il ?)

XOUKI

Il y a quatre chiens à l'hôtel où nous passons nos vacances en Normandie : Bobby, le fox ; Péki, le pékinois ; Tiki, le chien de berger ; et Xouki, le grand chien de chasse, aux yeux tristes et au caractère affectueux. Les chiens sont très heureux en été, quand il y a beaucoup de clients à l'hôtel. Après leurs repas, ils se reposent sur la terrasse de l'hôtel. Péki, le pékinois, ne sort jamais : il est paresseux ; il n'aime pas la marche. Les autres chiens ont des clients préférés, et ils les accompagnent quand ils vont sur la plage ou au village. C'est Xouki qui préfère notre famille ; il nous accompagne partout. D'abord ma petite sœur, Marie, a eu peur de Xouki, car il est si grand ; mais il est aussi si doux que bientôt elle a cessé d'avoir peur, et maintenant elle met souvent les bras autour du cou de Xouki et lui parle à l'oreille. « Qu'est-ce que tu racontes à Xouki ? » lui dit maman. « Des secrets ! » répond Marie.

Aujourd'hui nous allons faire la pêche près de l'embouchure de la Slack, la petite rivière qui coule à travers le village pour entrer dans la mer près du vieux fort sur la plage. Nous apportons nos grands filets pour attraper les crevettes : il y a toujours de grosses crevettes près de l'embouchure de la Slack. Comme tous les jours, Xouki nous accompagne. Mais aujourd'hui c'est la journée des désastres. Tout va mal ! D'abord, Xouki voit un chien qu'il déteste. Ordinairement Xouki est très doux, mais quand il voit un chien qu'il déteste, Xouki est un animal terrible ! Il aboie, il grogne, il attaque le malheureux chien d'une façon sauvage. Et voici qu'aujourd'hui Xouki voit le chien du boulanger, le chien du village qu'il déteste le plus. Xouki aboie ; il grogne ; il attaque le chien du boulanger. C'est un combat furieux ! Toutes les personnes sur cette partie de la plage courent pour voir ce qui arrive. « Madame, » dit un monsieur à maman, « appelez votre chien. Il est féroce. » « Monsieur, » répond maman, « ce n'est pas mon chien. C'est le chien de l'hôtel. » Maman est furieuse. « Venez, mes enfants, venez, » dit-elle. Et elle s'en va à travers la plage. Nous la suivons. Un monsieur sépare les deux chiens. Xouki nous suit. Maman ne le regarde pas. « Ne parlez pas à ce chien détestable, mes enfants, » dit-elle. Elle est furieuse. Nous n'osons pas parler à Xouki.

Xouki est triste ; personne ne lui parle. Nous entrons dans l'eau et nous faisons la pêche aux crevettes. Xouki vient tout près de ma petite sœur Marie. Ordinairement, quand il fait cela, Marie lui met les bras autour du cou, mais aujourd'hui elle regarde maman pour voir si maman a toujours cet air sévère. Oui, maman a toujours l'air sévère. Marie n'ose pas parler à Xouki ; elle ne lui met pas les bras autour du cou. Xouki est triste : il s'en va. Nous continuons à pêcher. Xouki court sur le sable, il aboie, il nous regarde. Nous regardons maman. Elle a toujours son air sévère. Nous n'osons pas parler à Xouki. Nous continuons à pêcher. Xouki nous regarde. Il voit ma petite sœur Marie qui pêche dans la rivière. Xouki s'élance vers Marie. Marie lui tourne le dos : elle ne le voit pas. Xouki bondit sur elle. Flac ! Marie tombe dans l'eau ! Maman accourt. Elle est furieuse. Elle ramasse Marie qui est trempée. « Ce chien est impossible, » dit-elle. « Je ne l'amène plus avec nous. Ne lui parlez pas. Venez. Je ramène cette enfant tout de suite à l'hôtel.» Elle porte Marie dans ses bras et elle rentre à l'hôtel. Nous la suivons. Xouki trotte derrière nous. De temps en temps il aboie un peu, mais nous n'osons pas le regarder ni lui parler. Xouki est triste.

À l'hôtel, maman amène Marie dans sa chambre pour lui mettre des vêtements secs. Nous nous installons sur la terrasse, et quand maman et Marie reviennent nous prenons notre goûter. Le patron vient nous parler. Maman lui raconte les crimes de Xouki. Le patron gronde le pauvre Xouki et l'envoie à son coin dans la cuisine. Nous donnons nos crevettes au patron : il dit qu'il va les faire cuire pour le dîner. Mais il cligne de l'œil à maman : je sais qu'il ne va pas les faire cuire.

Nous finissons notre goûter et nous ramassons nos filets pour les emporter dans nos chambres. «Où est mon filet ?» dit Marie soudainement. «Je ne trouve pas mon filet.» Il est vrai ; le filet de Marie n'est pas là ; nous l'avons laissé sur le sable quand Marie est tombée dans l'eau. Marie est inconsolable. Elle veut partir tout de suite à la plage pour chercher son filet. «Mais non, Marie,» dit maman. «Tu ne peux pas aller à la plage maintenant. C'est inutile : c'est la marée haute ; ton filet est peut-être sous l'eau. Demain matin tu peux aller le chercher. Et maintenant, mes enfants, montez dans vos chambres et faites vos toilettes avant le dîner. Marie, tu as déjà ta robe propre : tu peux rester sur la terrasse.» Nous montons dans nos chambres. Maman nous suit. Marie reste sur la terrasse.

Quand j'ai fait ma toilette, je descends à la terrasse. Je cherche Marie, mais elle n'est pas là. Maman descend aussi. «Où est Marie ?» dit-elle. Un monsieur qui prend son apéritif sur la terrasse dit : « Pardon, madame, mais votre petite fille est partie vers la plage.» « Ma foi ! » dit maman. « J'espère qu'elle n'est pas allée près de l'eau ! » Elle court vers la plage. Je la suis. « Maman,» dis-je, « Marie est sans doute allée vers la Slack, pour chercher son filet.» « Oui, sans doute,» dit maman. « Et c'est dangereux quand la marée monte. Dépêchons-nous ! » Nous courons vers la Slack. Nous entendons un chien qui aboie. « Maman,» dis-je, « c'est Xouki qui aboie. Il

veut attirer notre attention. Par ici ! Vite ! » Nous courons vite, et nous voyons Marie dans l'eau de la Slack. La marée monte très rapidement et il est évident que Marie ne peut pas sortir de l'eau. Mais Xouki est près d'elle. Marie a les bras autour du cou de Xouki, et ainsi le courant ne peut pas l'entraîner. Et Xouki aboie pour attirer l'attention. Maman entre dans l'eau et ramasse Marie. « Ma pauvre petite,» dit-elle. « Tu es eu peur ? » « Non, maman,» répond Marie. « Je suis entrée dans l'eau chercher mon filet, et je n'ai pas pu sortir. Mais Xouki est venu me chercher. Je lui ai mis les bras autour du cou et je lui ai raconté des secrets. Puis tu es venue.» Xouki regarde maman de ses yeux doux. Maman le flatte de la main. « Brave chien ! » dit-elle. « Brave chien ! » Xouki est heureux. Il bondit. Il aboie.

Nous rentrons à l'hôtel et nous racontons à tout le monde que Xouki est un héros. Marie est installée dans son lit, bien enveloppée, une boisson chaude à la main. Xouki est installé dans la chambre de Marie, un ruban tricolore autour du cou, et un bon os de mouton pour son souper.

EXERCICES

*A. Faites des phrases avec les locutions suivantes, qui sont utiles
     à apprendre par cœur :*

1.	Elle lui parle à l'oreille.	She whispers to him.
2.	Faire la pêche.	To fish.
3.	Tous les jours.	Every day.
4.	La pêche aux crevettes.	Shrimp-fishing.
5.	Flac !	Splash !
6.	De temps en temps.	From time to time.
7.	Il va les faire cuire.	He will have them cooked.
8.	La marée haute.	High tide.
9.	Brave chien !	Good dog !

B. Répondez aux questions :

1. Combien de chiens y a-t-il à l'hôtel ?
2. Nommez les chiens.
3. Pourquoi est-ce que Marie a eu peur de Xouki ?
4. Qu'est-ce que les enfants apportent pour attraper les cervettes ?
5. Que fait Xouki quand il voit un chien qu'il déteste ?
6. Quel est le chien du village qu'il déteste le plus ?
7. Pourquoi est-ce que maman est furieuse ?
8. Que fait Marie quand Xouki bondit sur elle ?
9. Pourquoi est-ce que Marie veut retourner sur la plage ?
10. Où est-ce que maman trouve Marie ?

C Complétez les phrases :

1. Les chiens sont heureux quand il y a beaucoup de —— à l'hôtel.
2. Péki est le —— ; il n'aime pas ——.
3. Toutes les personnes courent pour voir —— arrive.
4. Maman s'en va —— la plage.
5. Maman ramasse Marie qui est ——.
6. Maman amène Marie dans sa chambre pour lui mettre des ——.
7. Quand maman raconte ses crimes, le patron —— Xouki.
8. Marie a les bras autour du —— de Xouki, et ainsi le —— ne peut pas l'——.
9. Xouki aboie pour ——.
10. Marie est installée dans son lit, —— à la main.

D. Écrivez une petite composition : « Un combat entre des chiens.»

(Quels sont les chiens qui font ce combat ? Où est-ce qu'ils se rencontrent ? Pourquoi est-ce qu'ils s'attaquent ? Qui les sépare ? Quelle est la fin de l'histoire ?)

HISTOIRE DE BICYCLETTES

Jean Dupuis a douze ans. Il est dans la sixième classe du lycée Dufour. Jean n'aime pas beaucoup le français et l'anglais ; il préfère les mathématiques et les sciences. Mais surtout il est sportif. Quand il n'est pas à l'école, il adore faire du vélo avec des amis. Oui, Jean adore les bicyclettes. Pendant les vacances, très souvent il aide son ami, monsieur Rix, qui a un magasin où il vend des bicyclettes, et où il fait des réparations. Jean passe des heures à faire des réparations pour monsieur Rix ; il examine les bicyclettes neuves, il essaie tous les nouveaux modèles.

Aujourd'hui, c'est le commencement des vacances de Pâques. Jean se lève de bonne heure. « Maman,» dit-il au petit déjeuner, «puis-je aller chez monsieur Rix ? » « Mais oui, Jean, si tu veux,» dit sa mère. « Mais tu es sûr que tu n'ennuies pas monsieur Rix ? » «Oh, non, maman,» dit Jean. « Monsieur Rix m'a dit hier que je peux y aller.» « Très bien,» dit sa mère. « Tu rentres à midi pour déjeuner, n'est-ce pas ? » « Oui, maman,» dit Jean. «Au revoir, maman.» Et il monte à bicyclette et s'en va chez monsieur Rix.

« Bon jour, mon vieux,» dit monsieur Rix à Jean. «Bon jour, monsieur Rix,» répond Jean. «Alors, tu veux m'aider un peu ? » demande monsieur Rix. «Oui, monsieur,» dit Jean. «Eh bien,» dit monsieur Rix, «voilà un vélo qui a le pneu crevé. Tu peux me réparer cela ? » «Bien sûr, monsieur,» dit Jean, et il commence à travailler.

Monsieur Rix est très occupé ce matin : d'abord il y a un monsieur qui veut acheter une bicyclette neuve pour son fils, un garçon qui a l'âge de Jean. Ils examinent toutes les bicyclettes et enfin ils choisissent une belle bicyclette « Norda ». Le garçon a de la chance ! C'est une très bonne bicyclette. Ensuite, il y a deux hommes qui viennent pour des réparations : ils parlent à monsieur Rix et ils laissent leurs bicyclettes.

Jean a presque fini de réparer son pneu crevé. Un homme entre dans le magasin. « Bon jour, » dit-il à monsieur Rix. « Est-ce que vous achetez des bicyclettes d'occasion ? » « Oui, quelquefois, » répond monsieur Rix. « Pourquoi ? » « J'ai une bicyclette que je veux vendre, » dit l'homme. « C'est une bonne bicyclette assez neuve, mais ma santé ne me permet plus de monter à bicyclette. Alors, je veux la vendre. » « Où est cette bicyclette ? » demande monsieur Rix. « Dehors, » dit l'homme. « Bon. Je viens voir, » dit monsieur Rix. « De quelle marque est-elle, votre bicyclette ? » L'homme semble hésiter. « La marque ? » dit-il. « Ah, oui, la marque ! C'est de la marque Peugeot. » Monsieur Rix et l'homme sortent du magasin. Jean a fini de réparer son pneu crevé. Il sort du magasin aussi. Il s'intéresse beaucoup aux bicyclettes Peugeot : sa bicyclette à lui est aussi de la marque Peugeot. Il va voir. Monsieur Rix l'examine aussi. « Combien voulez-vous ? » dit monsieur Rix. « Vingt mille francs, » dit l'homme. « Ah, non, par exemple ! » dit monsieur Rix. « C'est beaucoup trop. Tenez, je vous donne dix mille. » « Non, » dit l'homme. « Ce n'est pas assez. Quinze mille ? » « Non. Dix mille, c'est mon prix, » dit monsieur Rix. « Votre bicyclette n'est pas en très bonne condition, vous savez. Vous l'avez depuis quand ? » « Mais... depuis deux ans, » dit l'homme.

« Eh bien, elle n'est vraiment pas en bon état,» dit monsieur Rix. « Je vous répète : dix mille, c'est mon prix.» « Non. À ce prix-là, je ne vends pas,» dit l'homme. « Très bien,» dit monsieur Rix. « Vous pouvez toujours aller ailleurs. Au revoir, monsieur.» Et monsieur Rix rentre au magasin. L'homme prend sa bicyclette et s'en va.

« Monsieur Rix,» dit Jean, « il est bizarre, cet homme. Vous ne trouvez pas ? » « Oui, en effet,» dit monsieur Rix. « Vingt mille francs, une bicyclette pareille ! C'est ridicule ! » « Non,» dit Jean, « ce n'est pas cela. Mais quand vous avez demandé la marque de sa bicyclette, il a dit : « Peugeot », et sa bicyclette est de la marque « Griffon ». « Et alors ? » dit monsieur Rix. « Mais on n'oublie pas la marque de sa bicyclette, monsieur Rix. C'est inouï. Je suis sûr que ce n'est pas la bicyclette de cet homme : il l'a volée ! » « Mon pauvre petit,» dit monsieur Rix, « tu es comme tous les jeunes d'aujourd'hui : tu lis trop de romans policiers et tu vois trop de films sensationnels.» « Tout de même, je vais le suivre, pour voir,» dit Jean. « Vous permettez, monsieur Rix ? » « Mais oui, mon petit, si tu veux,» dit monsieur Rix. « Mais tu vas être déçu. Un homme n'est pas nécessairement criminel parce qu'il est stupide.» « Où est-il allé, croyez-vous ? » demande Jean. « Très probablement chez mon ami Lancret,» dit monsieur Rix, « pour essayer de lui vendre sa bicyclette.» « Oui, c'est ça. J'y vais,» dit Jean. Et il prend sa bicyclette. « Au revoir, monsieur Maigret,» dit monsieur Rix, et il rit. Mais Jean n'entend pas : il est déjà en route pour le magasin de monsieur Lancret.

Bientôt il arrive au magasin de monsieur Lancret. Son homme est là, dans le magasin : il montre sa bicyclette à monsieur Lancret. Mais monsieur Lancret non plus ne veut pas acheter sa bicyclette. Bientôt l'homme sort du magasin, monte à bicyclette, et s'en va. Jean le suit. L'homme quitte le centre de la ville et s'en va dans les petites rues. Jean le suit. L'homme entre dans une petite maison. Il ne laisse pas sa bicyclette dans la rue ; il la porte à l'intérieur de la maison. Jean reste dans la rue. Que faire ? Il y a peut-être une cour derrière la maison, ou un autre moyen de voir l'intérieur ? Jean fait le tour de la maison. À l'arrière il y a un mur. Jean dépose sa bicyclette et grimpe sur le mur : il voit une petite cour, et, dans la cour, il y a une vingtaine de bicyclettes ! L'homme ouvre la porte de la maison et sort dans la cour, portant sa bicyclette « Griffon ». Jean descend vite du mur. Maintenant, il est sûr que ce sont des bicyclettes volées. Au coin de la rue il voit le commissariat de police. Il y entre, et raconte son histoire au commissaire. Soudain, il voit la pendule dans le bureau du commissaire. Juste ciel ! Midi et quart ! Il est déjà en retard pour le déjeuner : maman va être furieuse. Jean donne son nom et son adresse au commissaire, puis s'excuse et s'en va. Il monte à bicyclette et pédale comme un démon pour arriver chez lui aussi vite que possible.

Jean arrive chez lui. Il est midi et demi. Il entre craintivement dans la salle à manger. Oui, il a raison : maman est furieuse ! « Jean, » dit-elle, « tu exagères. Il est midi et demi. Je t'attends depuis une demi-heure pour déjeuner. » « Oui, maman, je le sais. Je m'excuse, » dit Jean. « Et avec ça, tu es sale, sale ! » dit sa mère. « Va te laver les mains tout de suite. » « Oui, maman, » dit Jean, et il court à la salle de bains ; puis il revient, les mains propres, et il se met à table. « Et maintenant, » dit sa mère, pendant qu'ils mangent leur déjeuner, « tu peux me raconter pourquoi tu es en retard.» Jean raconte l'histoire de l'homme à la bicyclette. Sa mere est furieuse. « Jean,» dit-elle, « tu es impossible. Tu imagines des choses incroyables, et tu me faire attendre pour des raisons ridicules. Je ne t'amène plus au cinéma : c'est sans doute le cinéma qui te donne des idées pareilles.»

Jean est désolé. Quand le déjeuner est fini, il dit timidement à sa mère : « Maman, je t'aide à faire la vaisselle, si tu veux.» Sa mère le regarde avec étonnement : ordinairement, il déteste faire la vaisselle. Puis elle voit son air penaud, et elle rit. « Ah, je comprends,» dit-elle. « Tu veux te faire pardonner. Eh bien, va, je te pardonne,» et elle l'embrasse. « Mais tu peux m'aider à faire la vaisselle tout de même,» ajoute-t-elle. « Très volontiers,» dit Jean, très joyeux, maintenant que sa mère n'est plus fâchée. Et Jean et sa mère font la vaisselle ensemble. Soudain, on sonne à la porte. La mère de Jean essuie les mains et va à la porte. Elle y voit un agent de police. « Bon jour, madame,» dit l'agent. « Je cherche monsieur Jean Dupuis.» « Entrez donc,» dit la mère de Jean. « Jean Dupuis, c'est mon fils.» Et elle appelle Jean. « Je suis venu vous féliciter, mon petit,» dit l'agent. « L'homme que vous avez suivi ce matin a dix-huit bicyclettes volées dans la cour de sa maison. Voici une lettre du commissaire pour vous remercier de ce que vous avez fait.» Il donne la lettre à Jean, et fait un beau salut militaire. « Au revoir, madame,» dit-il à la mère de Jean, « et toutes mes félicitations : votre fils est extrêmement observateur et très intelligent.» Et il s'en va. Jean regarde sa mère ; sa mère regarde Jean. « Maman,» dit Jean, « veux-tu m'amener au cinéma ce soir ? »

EXERCICES

A. Faites des phrases avec les locutions suivantes, qui sont utiles à apprendre par cœur :

1. Faire du vélo.	To go cycling.
2. Il passe des heures à faire des réparations.	He spends hours doing repairs.
3. Puis-je aller chez monsieur X.?	May I go to Mr. X's ?
4. Une bicyclette d'occasion.	A second-hand bicycle.
5. Par exemple !	The very idea !
6. Il s'intéresse aux bicyclettes.	He is interested in bicycles.
7. Tout de même.	All the same.
8. Il fait le tour de la maison.	He walks round the house.
9. Aussi vite que possible.	As quickly as possible.
10. Tu me fais attendre.	You keep me waiting.

B. Répondez aux questions :

1. Que fait Jean pendant les vacances ?
2. Qu'est-ce que Jean répare ?
3. Pourquoi est-ce que l'homme dit qu'il veut vendre sa bicyclette ?
4. Est-ce que monsieur Rix veut acheter sa bicyclette ?
5. Pourquoi est-ce que Jean trouve que l'homme est bizarre ?
6. Qu'y a-t-il dans la cour derrière la maison de l'homme ?
7. Pourquoi est-ce que la mère de Jean est furieuse ?
8. Est-ce que Jean aime faire la vaisselle ?
9. Qu'est-ce que l'agent apporte pour Jean ?
10. Qu'est-ce que Jean demande à sa mère ?

C. Complétez les phrases :

1. Jean est surtout ———.
2. Jean essaie tous les ———.
3. La mère de Jean demande : « Tu es sûr que tu n'——— pas monsieur Rix ? »
4. « Bon jour, ———,» dit monsieur Rix à Jean.

5. Voilà un vélo qui a le pneu ——.
6. De quelle —— est-elle, votre bicyclette ?
7. « Si vous ne voulez pas vendre,» dit monsieur Rix,
   « vous pouvez toujours aller ——.»
8. On n'oublie pas la marque de sa bicyclette : c'est ——.
9. C'est le cinéma qui te donne des idées ——.
10. Après le déjeuner, Jean dit à sa mère : « Je t'aide à
    —— si tu veux.»

D. *Monsieur X. a un magasin où il vend des bicyclettes et fait
des réparations. Un matin, il a trois clients : (a) un
monsieur qui veut acheter une bicyclette neuve pour son fils ;
(b) un garçon qui apporte sa bicyclette pour une répara-
tion ; (c) un homme qui veut vendre une bicyclette
d'occasion. Racontez les conversations.*

SOULIERS DE FEMME

« Gérard ! Ginette ! Dépêchez-vous ! » dit maman.
C'est un jour du mois de janvier : Gérard et Ginette
sont en vacances. La rentrée des classes a lieu la
semaine suivante. Aujourd'hui, maman va les amener
à Paris, pour acheter des vêtements avant la rentrée.
Gérard et Ginette aiment beaucoup aller à Paris. Ils
habitent la banlieue parisienne : ils prennent le train à
la gare de banlieue et en vingt minutes ils sont à la
gare Saint Lazare.

Aujourd'hui il y a beaucoup de monde en ville.
C'est la grande semaine du mois de janvier quand
tous les magasins ont des soldes. Il est presque midi,
— et on a déjà acheté un imperméable pour Gérard
et une robe pour Ginette — quand maman s'arrête
devant un grand magasin de chaussures de la rue de
Rivoli. La vitrine est pleine de jolis souliers de femme,
et partout il y a des affiches qui disent : « Grande
baisse de prix.» « Soldes : fins de séries.» « Mes
enfants,» dit maman, «j'ai besoin d'une paire de
souliers neufs. Entrons dans ce magasin.» Ils y
entrent. Il y a une foule affreuse dans le magasin :
partout, partout, des dames essaient des souliers.
Bientôt, maman trouve une place et elle commence
aussi à essayer des souliers. Ce n'est pas très intéressant pour Gérard et Ginette : ils sont bousculés par
les vendeuses et par les clientes. Ils s'ennuient beaucoup. « Maman,» dit Gérard, « est-ce que nous
pouvons sortir dans la rue ? » « Oui, si vous voulez,»
dit maman. « Mais attendez-moi à la porte, n'est-ce

pas ? Ne vous éloignez pas.» « Non, maman. Merci, maman,» disent les enfants, et ils sortent du magasin.

Ouf, qu'il fait bon être dehors ! Les enfants regardent les passants : ils s'amusent bien. Ils regardent les femmes qui sortent du magasin de chaussures : elles ont toutes l'air content, leur paquet de souliers à la main. Soudain, un homme sort du magasin. « Tiens, c'est drôle,» dit Ginette. « Un homme qui fait des achats dans un magasin de souliers de femme ! » « Oui,» dit Gérard. Il regarde l'homme. « Dis donc,» dit-il à Ginette. « Il a l'air furtif. Tu ne trouves pas ? » Ginette regarde l'homme. Il est vrai qu'il a un air bizarre. Il tient son paquet serré sous le bras ; il tourne la tête et regarde de tous les côtés : il semble chercher quelque chose. Soudain, il s'en va dans la rue, très vite : il court presque. De temps en temps il regarde derrière lui. « Vite,» dit Gérard, « suivons-le. Il agit d'une façon mystérieuse. Il a sans doute volé ce paquet.» « Oui. Courons,» dit Ginette. Et Gérard et Ginette suivent l'homme.

Soudain, l'homme prend une petite rue à gauche. Gérard et Ginette courent. Arrivés au tournant de la rue, ils voient l'homme qui entre en courant dans une petite ruelle. Gérard et Ginette arrivent au coin de la ruelle : ils voient l'homme qui défait son paquet. Soudain, il lève les yeux et il voit les enfants. Hâtivement, il refait son paquet et sort de la ruelle. En passant devant les enfants, il leur lance un regard hostile. Dans la rue, il se remet à marcher très vite. Les enfants suivent. « Gérard,» dit Ginette, essoufflée, « tu as vu ce qu'il y avait dans son paquet ? » « Non,» dit Gérard. « Qu'est-ce qu'il y avait ? » « Des souliers de femme,» dit Ginette. « Il les a sûrement volés.» Gérard s'arrête. « Ginette,» dit-il, « nous sommes peut-être fous. Il a pu acheter ces souliers.

Pourquoi pas ? »   « Mais pourquoi est-ce qu'un homme achète des souliers de femme ? » dit Ginette.   « Pour sa femme, ou pour sa fille,» dit Gérard.   « Non,» dit Ginette.   « On ne peut pas acheter des souliers pour des personnes qui ne sont pas là : il faut les essayer.» « Oui, en effet,» dit Gérard.   « D'ailleurs, pourquoi ouvrir le paquet dans la rue ?   Pourquoi regarder tout le temps pour voir si on le suit ?   Non, c'est certainement un voleur.   Dépêchons-nous.»

L'homme retourne sur ses pas.   Il passe de nouveau devant le magasin de souliers.   Cette fois il prend une petite rue à droite et disparaît.   La mère de Gérard et de Ginette n'est pas encore sortie du magasin.   Les enfants suivent l'homme.   Ils entrent dans la petite rue où il a disparu, mais la rue est déserte.   Soudain, Gérard dit : « Chut !   Le voilà.»   L'homme est sous une porte-cochère de l'autre côté de la rue.   Il a défait son paquet : une paire de jolis souliers de femme sont par terre.   L'homme se déchausse. Puis il commence à mettre un des souliers de femme.   « Ce n'est pas un voleur,» dit Gérard.   « C'est un fou ! Il faut prévenir un agent ! »

Gérard et Ginette courent au tournant de la rue où ils trouvent un agent.   Ils lui racontent leur histoire. L'agent les accompagne à la porte-cochère.   L'homme est là.   Il regarde ses pieds : sur un pied il a son propre soulier, sur l'autre, un soulier de femme.   « En effet, mes enfants,» dit l'agent, « je crois que vous avez raison ! »   L'homme lève les yeux.   Il voit l'agent et les enfants.   Il rougit : il a l'air furieux.   « Allons, monsieur,» dit l'agent.   « Qu'est-ce qui se passe ? » « Qu'est-ce qui se passe ? » dit l'homme.   « Il se passe que ces maudits enfants me suivent partout.»   « Mais, monsieur,» dit l'agent, « vos pieds... vos souliers... » « Monsieur l'agent,» dit l'homme, « je suis un homme paisible, mais je commence à me fâcher. Écoutez. Je vous explique tout : je sors de mon bureau pour déjeuner, et en passant devant le magasin de chaussures je vois de très jolis souliers rouges. Depuis longtemps ma femme a envie d'une paire de souliers rouges. Ces souliers rouges au magasin sont très bon marché : c'est le moment des soldes. Bon ! J'entre dans le magasin ; j'achète des souliers rouges pour ma femme. Mais voici la difficulté : je ne me rappelle pas la pointure de ma femme. Or, il y a un moyen très facile de vérifier : moi, j'ai les pieds très petits, ma femme a les pieds assez grands ; je peux mettre ses souliers à elle. Donc, je n'ai qu'à essayer les souliers moi-même. Mais, monsieur l'agent, je suis un homme timide : je n'ai pas le courage d'essayer des souliers de femme au milieu d'un magasin rempli de femmes. Vous me comprenez, monsieur l'agent ? Alors, je prends mon paquet, je sors du magasin, et je cherche un endroit tranquille pour essayer les souliers sans être vu. Mais ces maudits enfants me suivent partout : ils me persécutent ! » L'agent rit. Les enfants sont confus : ils se confondent en excuses. Soudain, ils entendent la voix de leur mère : « Où sont ces méchants enfants ? » « Ginette, » dit Gérard, « c'est la journée des désastres. Nous allons l'attraper ! »

EXERCICES

A. *Faites des phrases avec les locutions suivantes, qui sont utiles à apprendre par cœur :*

1. Dépêchez-vous !	Hurry !
2. La rentrée des classes.	The beginning of school term.
3. Grande baisse de prix.	Great reduction in price(s).
4. Soldes : fins de séries.	Bargains : to clear.

5. Ne vous éloignez pas.	Do not go away.
6. Qu'il fait bon être dehors !	How good it is to be outside !
7. De l'autre côté de la rue.	On the other side of the street.
8. C'est un fou !	He is a madman !
9. Qu'est-ce qui se passe ?	What is going on ?
10. Les souliers sont très bon marché.	The shoes are very cheap.

B. *Répondez aux questions :*

1. Pourquoi est-ce que maman amène Gerard et Ginette à Paris ?
2. Où habitent-ils ?
3. Pourquoi est-ce qu'il y a beaucoup de monde en ville ?
4. Qu'est-ce qu'on a acheté avant midi ?
5. De quoi est-ce que maman a besoin ?
6. Pourquoi est-ce que Gérard et Ginette veulent sortir du magasin ?
7. Qu'est-ce qu'il y a dans le paquet de l'homme ?
8. Qu'est-ce qu'il fait sous la porte-cochère ?
9. Que font Gérard et Ginette quand ils voient ce que l'homme fait ?
10. Pourquoi est-ce que l'homme essaie les souliers dans la rue ?

C. *Complétez les phrases :*

1. La rentrée des classes a —— la semaine ——.
2. La —— est pleine de souliers de femme.
3. Partout il y a des —— qui disent ; « Grande baisse de prix »
4. Dans le magasin, les enfants sont —— par les —— et par les clientes.
5. L'homme tient son paquet —— sous le bras.
6. On ne peut pas acheter des souliers pour des personnes qui ne sont pas là ; il —— les essayer.
7. L'homme n'est pas là : la rue est ——.
8. C'est un fou ! Il faut —— un agent.

9. Monsieur l'agent, je suis un homme ——, mais je commence a ——.

10. Je ne me rappelle pas la —— de ma femme.

D. Écrivez une petite composition : « Les soldes de janvier.»

(Votre mère vous amène en ville : quand ? pourquoi ? À quelle heure arrivez-vous ? Est-ce qu'il y a beaucoup de monde en ville ? Qu'est-ce que vous voyez aux vitrines des magasins ? Qu'est-ce que vous achetez ?)

LE FANTÔME DES NEIGES

Bernard fait son service militaire. Ordinairement, les garçons n'aiment pas faire leur service militaire, mais Bernard est content, très content. Il a eu la chance d'être nommé au régiment des Chasseurs Alpins. Or, Bernard est très sportif : il aime tous les sports, et surtout les sports d'hiver. Il adore faire du ski et il a déjà gagné plusieurs concours de ski. Voilà pourquoi il est si heureux de faire son service militaire au régiment des Chasseurs Alpins.

Aujourd'hui, surtout, il est content : son bataillon part pour faire sa première marche dans la montagne. Ce soir, le bataillon couchera en bivouac, là-haut, parmi les neiges. Les éclaireurs skieurs, qui devancent le bataillon, sont déjà partis. Dans quelques minutes, le bataillon entier va se mettre en marche. Bernard regarde avec fierté ses vêtements blancs, son petit fusil. Qu'il sera content d'être dans la montagne, d'avoir l'occasion de faire du ski ! Car Bernard est le plus jeune de son bataillon, et, comme de raison, ses camarades l'ont beaucoup taquiné depuis son arrivée au régiment. Mais quand il s'agit de faire du ski, sérieusement, dans la montagne, c'est Bernard qui pourra taquiner ses camarades, car c'est lui qui est le meilleur skieur parmi les jeunes. Mais que ses camarades ont pu taquiner le pauvre Bernard ! D'abord, ils l'ont baptisé « le petit Saint », car quand on s'appelle Bernard, et qu'on est cantonné près du col Saint Bernard, évidemment on s'appelle le Saint ; et quand on est le plus jeune, comme Bernard, on devient tout de suite « le petit Saint ». Ensuite, un des premiers jours, quand on chargeait les mulets qui portent les provisions et les mortiers pour le régiment, on avait envoyé Bernard demander au sous-officier les skis des mulets. Le sous-officier était furieux ; il a cru que c'était une plaisanterie de la part de Bernard. Bernard était furieux aussi. Et il y a eu bien d'autres plaisanteries. Mais dans la montagne Bernard se promet que c'est lui qui fera les taquineries.

Enfin, on part, et on est bientôt dans la montagne. Les chasseurs avancent à la file indienne, à ski. Derrière Bernard il y a son ami Jean, et devant lui Albert, qui est extrêmement taquin. « Dis donc, Jean, » crie Albert, « nous sommes heureux d'avoir le petit Saint avec nous aujourd'hui, n'est-ce pas ? » « Oui, » dit Jean. « Mais pourquoi spécialement ? » « Pour vous repêcher quand vous tombez dans une crevasse, » dit Bernard vivement. « Non. Je pense plutôt au Fantôme des Neiges, » dit Albert. « Ah oui. Le Fantôme des Neiges ! » dit Jean. Il est évident qu'il ne sait pas de quoi il s'agit. Bernard n'est pas dupe : évidemment, c'est encore une plaisanterie d'Albert. « Tu ne te rappelles pas, mon vieux, » dit Albert, « que le Fantôme des Neiges apparaît à tout Chasseur Alpin qui fait sa première marche en montagne ? » « Ah oui ! Les anciens m'ont raconté cela, » dit Jean. « Mais le fantôme a sans doute peur d'un saint, » dit Albert, et il rit. « Même d'un petit saint, crois-tu ? » dit Jean, et il rit aussi. Et ça continue tout de long de la marche : Jean et Albert parlent du Fantôme des Neiges, et de ses apparitions. Aux haltes, les autres se mêlent à la conversation, et à la taquinerie. Vraiment, ils sont ridicules. « S'ils pensent que je vais croire à un fantôme, ils se trompent, » se dit Bernard, et il rit quand les autres racontent des histoires effrayantes.

La nuit, on fait bivouac. Bernard dresse sa petite tente et bientôt il dort : la marche a été fatigante. Au milieu de la nuit, soudainement, il se réveille. Il fait très noir. Pourquoi s'est-il réveillé ? Il écoute : quelque chose bouge près de sa tente. C'est un mouvement doux, furtif. Bernard a un moment de panique. On n'est pas très courageux, la nuit, même si on est Chasseur Alpin. Il pense aux histoires de ses camarades, et au Fantôme des Neiges. Puis quand il se réveille un peu plus, il se dit qu'il est ridicule : c'est sans doute un de ses camarades qui est en train de lui jouer un tour. Il écoute plus attentivement : oui, les mouvements continuent. Mais ce ne sont pas des mouvements humains. Ça, c'est certain. Alors, qu'est-ce que c'est ? Il fait si noir que Bernard ne voit rien. Soudain, sa tente est soulevée, et quelque chose d'extrêmement froid, de glacial, lui touche la main. Bernard pousse un petit cri d'horreur. Puis il se retient. Si c'est un tour que jouent ses camarades, surtout, il ne faut pas crier. Il attend, le visage froid de sueur. Encore un mouvement, la tente se soulève un peu plus, et Bernard voit deux grands yeux qui le regardent dans le noir. Fiévreusement, il cherche dans son havresac, et enfin il trouve sa torche électrique. C'est strictement défendu, mais il allume. Et qu'est-ce qu'il voit ? Le Fantôme des Neiges ? Non. Il voit Bambi, le grand chien de berger, la mascotte du régiment !

EXERCICES

A.   Faites des phrases avec les locutions suivantes, qui sont utiles à apprendre par cœur :

1. Comme de raison.　　　　As one might expect.
2. Il s'agit de...　　　　　　It is a question of . . .

3. À la file indienne.	In single file.
4. Dresser une tente.	To pitch a tent.
5. C'est strictement défendu.	It is strictly forbidden.

B. *Répondez aux questions :*

1. Que fait Bernard ?
2. Pourquoi est-il content ?
3. Quels sports aime-t-il ?
4. Qu'est-ce que son bataillon va faire ?
5. Qui devancent le bataillon ?
6. Qui est le meilleur skieur ?
7. Pourquoi est-ce que ses camarades appellent Bernard « le Saint » ?
8. À qui est-ce que le Fantôme des Neiges apparaît ?
9. Qu'est-ce que Bernard entend quand il se réveille, la nuit ?
10. Qu'est-ce qu'il voit quand il allume sa torche ?

C. *Complétez les phrases :*

1. Il a gagné plusieurs —— de ski.
2. Ses camarades l'ont beaucoup —— depuis son arrivée.
3. Les chasseurs avancent à la —— à ski.
4. Albert est extrêmement ——.
5. S'ils pensent que je vais croire à un fantôme, ils se ——.
6. Bientôt il dort : la marche a été ——.
7. Quelque chose —— près de sa tente.
8. Sa tente est ——, et quelque chose de —— lui touche la main.
9. Il attend, le visage ——.
10. ——, il cherche dans son havresac.

D. *Écrivez une petite composition :* « *Une nuit dans la montagne.* »

VOCABULAIRE

A

d'abord, at first

aboyer, to bark

un achat, a purchase

l'acier (*masc.*), steel

une affiche, a poster

affreux (affreuse) (*adj.*), frightful

agiter, to wave

ailleurs (*adv.*), elsewhere

d'ailleurs (*adv.*), besides, moreover

ainsi, thus

allonger, to stretch out

s'allonger, to lie down

alors, then

s'amuser, to enjoy oneself

s'amuser bien, to have a good time

un apéritif, a cocktail

appuyer, to support, to prop up

un arrêt, a stop, a stopping-place

arrêter, to stop

l'arrière (*masc.*), the back

arriver, (1) to arrive; (2) to happen

assez (*adv.*), (1) enough, sufficient; (2) fairly, quite

aujourd'hui, to-day

autour de (*prep.*), round

autre (*adj.*), other

avant (*prep.*), before

avertir, to warn

un avion, an aeroplane

avoir besoin de, to have need of

avoir lieu, to take place

B

le bâillon, the gag

bâillonner, to gag

baisser, to lower

la banlieue, the suburbs

la banquette, the bench, seat

le berger, the shepherd

la bêtise, stupidity, silliness

bientôt (*adv.*), soon

le bijou, the jewel

bizarre (*adj.*), strange, odd

la boisson, the drink

la boîte, the box

bondir, to spring up and down, to bound

le bonheur, happiness

le bord, the edge

bouder, to sulk

bouger, to move

le bourdonnement, the buzzing

bousculer, to jostle

le bout, the end
la brioche, the bun
la broche, the brooch
le bruit, the noise
le bureau, the office

C

ça (= cela), that
le cabinet, the small room, the doctor's consulting room
le cachet, a kind of pill
un cambrioleur, a burglar
la canne, the cane, the stick
cantonner, to quarter, to billet (of troops)
le casque, the helmet
casser, to break
le cassis, the black currant
certainement (adv.), certainly
la chance, luck
chaque (adj.), each
le char blindé, the armoured car
charger, to load
la chasse, hunting, shooting
le chauffeur, the stoker (of engine)
la chaussure, footwear
le chef de gare, the stationmaster
le chemin, the path
cher (chère) (adj.), dear
mon cher, ma chère, my dear
chez, to the house of, at the house of

le chiffon, the duster
chut ! hush !
le citoyen, the citizen
le citron, the lemon
la classe-promenade, a lesson for which the pupils go out of the school building
le client, the customer
cligner, to blink
cligner de l'œil, to wink
le clignotement, the flickering
la cloche, the bell
le clou, the nail
le col, (1) the collar ; (2) the mountain-pass
colorier, to colour
comme, as
le commissaire, the police superintendent
le commissariat de police, the police station
le complot, the plot
le concierge, the hall porter
le concours, the competition
confus(e) (adj.), confused, ashamed
le contrebandier, the smuggler
convenable (adj.), suitable, respectable
le côté, the side
à côté de, by the side of
couler, to flow
la couture, the sewing, the seam
la couturière, the dressmaker
craintivement, fearfully

84

crever, to burst

la crevette, the shrimp

la crinière, the mane (of a horse), the plume (of a helmet)

D

décevoir, to disappoint

déçu, disappointed

se déchausser, to take off one's shoes

la déclivité, the slope, incline

défendre, (1) to defend ; (2) to forbid

le défilé, the procession

dehors (adv.), outside

déjà, already

délier, to untie

démonter, to take to pieces, to dismantle

se dépêcher, to hurry

déposer, to put down

depuis (prep.), since

dernier (dernière) (adj.), last

le désespoir, despair

désolé(e), grieved, very sorry

devancer, to go in front of

devenir, to become

devoir, to have to ; je dois (pres. tense), I must

disparaître, to disappear

donc (conj.), therefore

la douane, the Customs

le douanier, the Customs officer

doux (douce) (adj.), soft, sweet, gentle

drôle (adj.), funny

E

ébahi(e), astounded

écarter, to move, to thrust aside

une écharpe, a scarf

éclabousser, to splash

un éclaireur, a scout

un effet, an effect, a result

en effet, as a matter of fact, indeed

effrayer, to frighten

s'élancer, to hurl oneself, to dash

l'embouchure (fem.), the mouth (of a river)

empailler, to stuff

empêcher, to prevent

encore (adv.), still, more, again

s'endormir, to fall asleep

un endroit, a place

enfin (adv.), at last

enlever, to take off

ennuyer, to annoy

ennuyeux (ennuyeuse) (adj.), annoying

ensemble, together

ensuite, then, next

entier (entière) (adj.), whole, entire

entraîner, to drag along, to carry away

entre (prep.), between

es environs, the surroundings, the neighbourhood
une épée, a sword
éplucher, to peel
un escalier, a staircase
un espace, a space
espérer, to hope
essayer, to try
essoufflé(e), out of breath, breathless
essuyer, to wipe
un état, a state, a condition
éternuer, to sneeze
une étoile, a star
l'étonnement (*masc.*), astonishment
évidemment (*adv.*), obviously
éviter, to avoid
excédé(e), worn out, out of patience
expliquer, to explain

F

en face, opposite
fâché(e) (*adj.*), vexed, angry
se fâcher, to get angry
facile (*adj.*), easy
la façon, the way, the fashion
le fantôme, the ghost
féliciter, to congratulate
féroce, fierce
la fête, the feast, the holiday
être en fête, to be holiday-making
les feux d'artifice, the fireworks

la fierté, pride
fiévreusement (*adv.*), feverishly
le filet, the net
flatter, to stroke
ma foi !, my goodness !
la fois, the time, the occasion
fort(e) (*adj.*), strong
fou (folle) (*adj.*), mad
la foule, the crowd
le frein, the brake
le fusil, the gun

G

la gare, the station
le gargarisme, the gargle
le gémissement, the groan
les gens, the people
gentil (gentille) (*adj.*), pleasant, charming
la glace, the window (of railway carriage)
le goût, the taste
grimper, to climb
grogner, to growl
gronder, to scold
gros (grosse) (*adj.*), big, fat

H

hâtivement (*adv.*), hastily
le haut, the top
le haut-parleur, the loud-speaker
se heurter, to knock against, to run into
hisser, to hoist
une histoire, a story

holà !, hello there !
un horloger, a watchmaker
hurler, to yell

I

ici, here
par ici !, this way !
un imperméable, a macintosh
incroyable (*adj.*), unbelievable
indubitablement, undoubtedly
inoui(e) (*adj.*), unheard of
installer, to install, to settle
insupportable (*adj.*), unbearable
inutile (*adj.*), useless

J

le journal, the newspaper
la journée, the day
les jumeaux, the twins
jusque (*prep.*), as far as, up to

L

la laine, the wool
laisser, to leave
laisser tomber, to let fall
le légume, the vegetable
la loge, the lodge
loin (*adv.*), far
plus loin, farther on
longtemps (*adv.*), a long time
lourd(e) (*adj.*), heavy
la lumière, the light

M

maintenir, to maintain
mais (*conj.*), but
malade (*adj.*), ill, sick
maladroit(e) (*adj.*), clumsy
malheureux (malheureuse) (*adj.*), unhappy
manquer, to lack, to be missing
la marée, the tide
le mari, the husband
la marque, the mark, the brand, the make (of a manufactured article)
maudit(e), cursed
le mécanicien, the mechanic, the engine driver (railway)
méchant(e) (*adj.*), naughty
mêler, to mix, to mingle
le meuble, the piece of furniture
le miel, the honey
le mois, the month
le monde, the world
tout le monde, everybody
beaucoup de monde, a lot of people
se moucher, to blow one's nose
mourir, to die
le moyen, the means
le musée, the museum
le mystère, the mystery

N

la naissance, the birth
neuf (neuve) (*adj.*), new

87

nouveau (nouvelle) (*adj.*), new, fresh

de nouveau, again, a fresh

O

une occasion, an opportunity

s'occuper de, to busy oneself with, to look after

une ombre, a shadow

l'or (*masc.*), gold

or (*conj.*), now

une ordonnance, a prescription

un oreiller, a pillow

oser, to dare

un ours, a bear

un outil, a tool

P

paisible (*adj.*), peaceful

le paquebot, the steamship

Pâques, Easter

paraître, to appear

pareil (pareille) (*adj.*), like, alike

paresseux (paresseuse) (*adj.*), lazy

parmi (*prep.*), amongst

partout (*adv.*), everywhere

le passant, the passer-by

le patron, the chief, the head, the proprietor (of an hotel, etc.)

la patte, the paw (of an animal)

la pêche, fishing

la peluche, plush

penaud (*adj.*), crestfallen, shamefaced

se pencher, to bend down

pendant (*prep.*), during

la pendule, the clock

une personne, a person

personne, nobody

peu à peu, gradually

peut-être, perhaps

le phare, the lighthouse

la pièce (de théâtre), the play

la pierre, the stone

la plaisanterie, the joke

plein(e) (*adj.*), full

pleurer, to weep

plusieurs, several

plutôt, rather

le pneu, the tyre (of a motor car, bicycle, etc.)

la poche, the pocket

le poil, hair, fur (of animal)

la pointure, the size (of shoes, etc.)

les (petits) pois, green peas

le poisson, the fish

poli(e) (*adj.*), polite

le pont, (of a ship) the deck

la porte-cochère, the carriage entrance, the gateway

la portière, door (of carriage, railway carriage)

le potage, the soup

pousser, to push

près de (*prep.*), near

prêt(e) (*adj.*), ready

prévenir, to warn

prévoir, to foresee

le prix, the price

prochain(e) (*adj.*), nearest

propre (*adj.*), (1) clean ;
(2) own (when used before the noun)

Q

le quai, the platform (railway)

quand, when

quelque (*adj.*), some

quelque chose, something

quelquefois, sometimes

la queue, the tail

R

raconter, to tell

ramasser, to pick up

le rang, the row, the line

ravi(e), delighted

repêcher (*colloquial*), to fish out

rester, to stay

le retour, the return

être de retour, to be back

se réveiller, to awake

le réveil-matin, the alarm clock

un rhume, a bad cold

le roman policier, the detective story

la roue, the wheel

la rougeole, measles

rougir, to blush

la ruelle, the alley, the narrow street

S

sage (*adj.*), good, well-behaved

saisir, to seize

sale (*adj.*), dirty

salir, to dirty

se salir, to get dirty

la salle d'attente, the waiting-room

la santé, health

sauter, to jump

scintiller, to sparkle

sec (sèche) (*adj.*), dry

secouer, to shake

sentir, (1) to feel ; (2) to smell

serrer, to squeeze, to press

la serviette, (1) the table napkin ; (2) the towel ; (3) the despatch-case, the portfolio

seul(e) (*adj.*), alone

si (*conj.*), if, whether

si (*adv.*), (1) so ; (2) yes (in answer to a negative question)

silencieux (silencieuse) (*adj.*), silent

le sobriquet, the nickname

le solde, the remnant, the surplus stock

le soleil, the sun

la sonnerie, the ringing (of bells)

soudain(e) (*adj.*), sudden

soudain, soudainement (*adv.*), suddenly

le soulagement, the relief
soulever, to lift up
le soupçon, the suspicion
soupçonner, to suspect
le soupir, the sigh
soupirer, to sigh
sourire, to smile
le sous-officier, the non-commissioned officer
sucer, to suck
la sueur, sweat
suivre, to follow
la Sûreté Nationale, the Criminal Investigation Department

T

taquiner, to tease
tâter, to feel
la terre, the ground
le toit, the roof
le tonnerre, the thunder
toujours (*adv.*), always, still
le tour, (1) the turn ; (2) the trick
tousser, to cough
tout, toute, tous, toutes, all, every
tout à fait, altogether
tout de suite, immediately
tout le monde, everybody
en train de, in the act of
traîner, to trail
à travers, through, across

tremper, to soak with water, to drench
triste (*adj.*), sad
se tromper, to make a mistake
trop (*adv.*), too much
le trottoir, the pavement
le trou, the hole

V

les vacances (*fem. pl.*), the holidays
le vaurien, the good-for-nothing
le vélo (= le vélocipède), the bicycle
la vendeuse, the saleswoman
le vent, the wind
vers (*prep.*), towards
vide (*adj.*), empty
vider, to empty
vite (*adv.*), quickly
la vitesse, the speed
la vitrine, the shop-window
vivement (*adv.*), briskly
le voisin, the neighbour
voisin(e) (*adj.*), neighbouring
un vol, a theft
le voleur, the thief, the robber
volontiers (*adv.*), willingly
vrai(e) (*adj.*), true
vraiment (*adv.*), truly, really